ARSÈNE LUPIN

MAURICE LEBLANC

ARSÈNE LUPIN
E A AGULHA OCA

Tradução
Frank de Oliveira

Esta é uma publicação Principis, selo exclusivo da Ciranda Cultural
© 2021 Ciranda Cultural Editora e Distribuidora Ltda.

Traduzido do original em francês
L'Aiguille Creuse

Texto
Maurice Leblanc

Tradução
Frank de Oliveira

Revisão
Renata Daou Paiva

Diagramação
Linea Editora

Produção editorial
Ciranda Cultural

Design de capa
Ciranda Cultural

Imagens
alex74/shutterstock.com;
YurkaImmortal/shutterstock.com;
Lisa Kolbasa/shutterstock.com;
MZ Picturesque/shutterstock.com;
Dervish45/shutterstock.com

Dados Internacionais de Catalogação na Publicação (CIP) de acordo com ISBD

L445a	Leblanc, Maurice
	Arsène Lupin e a agulha oca / Maurice Leblanc ; traduzido por Frank de Oliveira. – Jandira, SP : Principis, 2021. 224 p. ; 15,5cm x 22,6cm. - (Arsène Lupin)
	Tradução de: L'Aiguille Creuse ISBN: 978-65-5552-509-0
	1. Literatura francesa. 2. Ficção. I. Oliveira, Frank de. II. Título. III. Série.
2021-1830	CDD 843 CDU 821.133.1-3

Elaborado por Vagner Rodolfo da Silva - CRB-8/9410

Índice para catálogo sistemático:
1. Literatura francesa : Ficção 843
2. Literatura francesa : Ficção 821.133.1-3

1ª edição em 2021
www.cirandacultural.com.br
Todos os direitos reservados.
Nenhuma parte desta publicação pode ser reproduzida, arquivada em sistema de busca ou transmitida por qualquer meio, seja ele eletrônico, fotocópia, gravação ou outros, sem prévia autorização do detentor dos direitos, e não pode circular encadernada ou encapada de maneira distinta daquela em que foi publicada, ou sem que as mesmas condições sejam impostas aos compradores subsequentes.

SUMÁRIO

O tiro 7

Isidore Beautrelet, estudante de retórica 31

O cadáver 57

Face a face 80

Na pista 105

Um segredo histórico 123

O Tratado da Agulha 143

De César a Lupin 165

Abre-te, Sésamo! 180

O tesouro dos reis da França 198

O TIRO

Raymonde aguçou os ouvidos. Novamente e por duas vezes o ruído soou, claro o suficiente para que se pudesse destacá-lo de todos os barulhos confusos que formavam o grande silêncio noturno, mas tão fraco que ela não teria tido condições de dizer se estava próximo ou distante, se acontecia entre as paredes do vasto castelo, ou fora, entre os recantos tenebrosos do parque.

Ela se levantou devagar. Sua janela estava entreaberta, ela empurrou os batentes para o lado. O clarão da lua repousava sobre uma paisagem calma de gramados e bosques onde as ruínas espalhadas da antiga abadia se destacavam em trágicas silhuetas, colunas truncadas, ogivas incompletas, esboços de pórticos e fragmentos de arcobotantes. Uma brisa flutuava na superfície das coisas, deslizando pelos galhos nus e imóveis das árvores, mas sacudindo as pequenas folhas que nasciam dos maciços.

E de repente, o mesmo barulho... Era à sua esquerda e abaixo do andar onde ela morava, portanto nos salões que ocupavam a ala oeste do castelo.

Embora valente e forte, a jovem sentiu a angústia do medo. Vestiu a camisola e pegou os fósforos.

– Raymonde... Raymonde...

Uma voz fraca como um sopro a chamava do quarto ao lado, cuja porta não tinha sido fechada. Ela estava indo para lá tateando quando Suzanne, sua prima, saiu desse quarto e desabou em seus braços.

– Raymonde... É você?... Você ouviu?...

– Sim... você não está dormindo?

– Acho que foi o cachorro que me acordou... faz um tempo... Mas ele não está mais latindo. Que horas devem ser?

– Mais ou menos quatro horas.

– Escute... Tem alguém andando no salão.

– Não há perigo, seu pai está lá, Suzanne.

– Mas há perigo para ele. Ele dorme ao lado do pequeno salão.

– O senhor Daval também está lá...

– Na outra extremidade do castelo... Como quer que ele ouça?

Elas hesitavam, sem saber o que fazer. Chamar? Gritar por ajuda? Elas não ousavam, de tal forma o próprio som de suas vozes lhes parecia assustador. Mas Suzanne, que se aproximara da janela, abafou um grito.

– Olhe... um homem perto do lago.

De fato, um homem estava se afastando com passos rápidos. Ele carregava debaixo do braço um objeto de dimensões bastante grandes, cuja natureza elas não puderam discernir, e que, balançando contra sua perna, interferia em seu andar. Elas o viram passar perto da antiga capela e se dirigir a uma portinhola que havia no muro. Essa porta devia estar aberta, pois o homem desapareceu repentinamente, e elas não ouviram o rangido usual das dobradiças.

– Ele estava vindo do salão – murmurou Suzanne.

– Não, a escadaria e o vestíbulo o teriam conduzido muito mais para a esquerda... A menos que...

Uma mesma ideia as sacudiu. Elas se inclinaram para a frente. Abaixo delas, uma escada estava erguida contra a fachada e se apoiava no primeiro andar. Um clarão iluminava o balcão de pedra. E outro homem, que também carregava alguma coisa, passou por cima do balcão, deixou-se escorregar pela escada e fugiu pelo mesmo caminho.

Suzanne, apavorada, sem forças, caiu de joelhos, gaguejando:

– Vamos gritar!… Pedir ajuda!…

– Quem viria? Seu pai… E se houver alguns outros homens e eles o atacarem?

– Poderíamos avisar os criados… Sua campainha se comunica com o andar deles.

– Sim… Sim… Talvez, é uma ideia… Desde que cheguem a tempo! Raymonde procurou a campainha elétrica perto de sua cama e a apertou. Um timbre alto vibrou, e elas tiveram a impressão de que, de baixo, tinha sido possível ouvir seu som característico.

Elas esperaram. O silêncio se tornava assustador, e mesmo a brisa não agitava mais as folhas dos arbustos.

– Estou com medo… Estou com medo… – Suzanne repetia.

E de repente, na noite profunda, abaixo delas, o som de uma luta, um estrondo de móveis empurrados, exclamações, depois, horrível, sinistro, um gemido rouco, o estertor de um ser que é estrangulado…

Raymonde saltou em direção à porta. Suzanne agarrou-se desesperadamente ao seu braço.

– Não… não me deixe… estou com medo. Raymonde a empurrou e lançou-se para o corredor, logo seguida por Suzanne, que cambaleava de parede a parede, soltando gritos. Ela alcançou a escadaria, precipitou-se de degrau em degrau, correu para a grande porta do salão e parou bruscamente, pregada na soleira, enquanto Suzanne caía prostrada a seu lado. Na frente delas, a três passos de distância, estava um homem com uma lanterna na mão. Com um gesto, dirigiu-a para as duas jovens, cegando-as com a luz, olhou longamente para seus rostos, depois, sem pressa, com os movimentos mais calmos do mundo, apanhou o boné, pegou um pedaço de papel e duas hastes de palha, apagou seus rastros no tapete, aproximou-se do balcão, voltou-se para as jovens, fez uma reverência e desapareceu.

A primeira, Suzanne, correu para o pequeno quarto de vestir que separava o grande salão do quarto de seu pai. Mas desde a entrada, uma visão terrível a deixou aterrorizada. À luz oblíqua da lua, dois corpos inanimados podiam ser vistos no chão, deitados próximos um do outro.

– Pai!... Pai!... É você?... O que houve? – ela gritou em pânico, inclinando-se sobre um deles.

Depois de um momento, o conde de Gesvres se mexeu. Com a voz partida, ele disse:

– Não tema nada... Não estou ferido... E Daval? Está vivo? A faca?... A faca?...

Naquele momento, dois criados chegavam com velas. Raymonde se jogou na frente do outro corpo e reconheceu Jean Daval, o secretário e homem de confiança do conde. Seu rosto já apresentava a palidez da morte.

Então ela se levantou, voltou para o salão, pegou uma arma do meio de uma panóplia presa à parede, que ela sabia que estava carregada, e saiu para o balcão. Certamente não fora há mais que cinquenta a sessenta segundos que o indivíduo colocara os pés na primeira barra da escada. Portanto, ele não poderia estar muito longe dali, especialmente porque tivera a precaução de deslocar a escada para que não pudessem usá-la. Ela logo o viu, de fato, caminhando pelas ruínas do velho claustro. Ela encostou a arma no ombro, mirou silenciosamente e atirou. O homem caiu.

– Perfeito! Perfeito! – gritou um dos criados. – Pegamos este. Vou até lá.

– Não, Victor, ele está se levantando... desça a escadaria e vá até a portinhola. Ele só pode escapar por lá.

Victor se apressou, mas antes mesmo de chegar ao parque, o homem tinha caído novamente. Raymonde chamou o outro criado.

– Albert, consegue vê-lo lá embaixo? Perto da grande arcada?...

– Sim, ele está rastejando na grama... Está perdido...

– Tome conta dele daqui.

– Não há como ele escapar. À direita das ruínas, está o gramado descoberto...

– E Victor vigia a porta à esquerda – disse ela, pegando novamente a espingarda.

– Não vá, senhorita!

– Ora – disse ela, com voz resoluta e gestos bruscos, deixem-me... Ainda tenho um cartucho... Se ele se mover...

E saiu. Um momento depois, Albert a viu indo em direção às ruínas. Ele gritou-lhe da janela:

– Ele se arrastou para trás da arcada. Não o estou vendo mais... Atenção, senhorita...

Raymonde contornou o velho claustro para impedir qualquer fuga do homem, e logo Albert a perdeu de vista. Depois de alguns minutos, sem conseguir revê-la, ele ficou preocupado e, sempre observando as ruínas, em vez de descer pelas escadarias, tentou alcançar a escada. Quando conseguiu, desceu rapidamente e correu direto para a arcada perto da qual o homem lhe aparecera pela última vez. Trinta passos adiante, encontrou Raymonde, que procurava por Victor.

– E então? – ele disse.

– Não consigo encontrá-lo – disse Victor.

– A portinhola?

– Estou indo... Aqui está a chave.

– No entanto... É preciso...

– Oh! A situação dele é certa... Em dez minutos, o bandido vai ser nosso.

O granjeiro e seu filho, despertados pelo tiro de espingarda, chegavam do lugar onde moravam e trabalhavam, que ficava bem longe à direita, mas dentro dos muros; eles não tinham encontrado ninguém.

– Diabos, não – disse Albert –, o patife não conseguiu sair das ruínas... Vamos desencavá-lo do fundo de algum buraco.

Eles organizaram uma batida metódica, vasculhando cada arbusto, afastando os pesados ramos de hera enrolados nas hastes das colunas. Certificaram-se de que a capela estava bem fechada e de que nenhum dos vitrais estava quebrado. Caminharam pelo claustro, visitaram todos os cantos e recantos. As buscas foram em vão.

Uma única descoberta: bem no local onde o homem havia caído, ferido por Raymonde, encontraram um boné de cocheiro, de couro amarelado. Exceto isso, nada.

Às seis horas da manhã, a polícia de Ouville-la-Rivière era notificada e se dirigia ao local, após ter enviado expressamente ao tribunal de Dieppe uma pequena nota relatando as circunstâncias do crime, a iminente captura do principal culpado, "a descoberta de seu boné e do punhal com o qual perpetrara seu crime". Às dez horas, dois veículos desciam a leve encosta que conduzia ao castelo. Um deles, uma venerável caleça, trazia o assistente do procurador e o juiz de instrução acompanhado de seu escrivão. Na outra, um modesto cabriolé, tinham tomado lugar dois jovens repórteres, representando o *Journal de Rouen* e uma grande folha parisiense.

O velho castelo apareceu. Antiga casa de abadia dos priores de Ambrumésy, mutilada pela Revolução, restaurada pelo conde de Gesvres a quem pertencia havia vinte anos, inclui um corpo principal encimado por um pináculo em que há um relógio, e duas alas, cada uma das quais envolvida por uma escada com balaustrada de pedra. Por cima dos muros do parque e para além do planalto suportado pelas altas falésias normandas, é possível ver, entre os vilarejos de Sainte-Marguerite e Varangeville, a linha azul do mar.

Ali vivia o conde de Gesvres com sua filha Suzanne, uma criatura bonita e frágil de cabelos loiros, e sua sobrinha Raymonde de Saint-Véran, que ele havia recolhido dois anos antes, quando a morte simultânea do pai e da mãe da jovem a deixara órfã. A vida era calma e regular no castelo. Alguns vizinhos iam lá de vez em quando. No verão, o conde levava as duas jovens quase todos os dias a Dieppe. Era um homem alto, com rosto sério e bonito, de cabelos grisalhos. Muito rico, administrava ele mesmo sua fortuna e supervisionava suas propriedades com a ajuda do secretário Jean Daval.

Na entrada, o juiz de instrução recolheu as primeiras constatações do sargento de polícia de Quevillon. A captura do culpado, sempre iminente aliás, ainda não fora efetuada, mas todas as saídas do parque estavam vigiadas. Uma fuga era impossível.

A pequena tropa cruzou então a casa capitular e o refeitório localizados no térreo, e chegou ao primeiro andar. Imediatamente, a ordem perfeita do salão foi notada. Nem uma peça de mobiliário, nem um bibelô que parecesse não ocupar seu lugar habitual, e nenhum vazio entre esses móveis e esses bibelôs. À direita e à esquerda pendiam magníficas tapeçarias flamengas. Ao fundo, nos painéis, quatro belas telas, em molduras, representavam cenas mitológicas. Eram os célebres quadros de Rubens legados ao conde de Gesvres, assim como as tapeçarias de Flandres, pelo seu tio materno, o marquês de Bodadilla, fidalgo da Espanha.

O juiz de instrução, senhor Filleul, observou:

– Se o roubo foi o motivo do crime, esse salão de qualquer forma não foi objeto dele.

– Quem sabe? – disse o assistente, que falava pouco, mas sempre em uma direção contrária às opiniões do juiz.

– Vejamos, caro senhor, o primeiro cuidado de um ladrão teria sido retirar essas tapeçarias e essas pinturas, cuja fama é universal.

– Talvez não tenha tido a oportunidade.

– Isso é o que vamos descobrir.

Nesse momento, entrou o conde de Gesvres, seguido pelo médico. O conde, que não parecia ressentir-se da agressão de que tinha sido vítima, deu as boas-vindas aos dois magistrados. Em seguida, abriu a porta do quarto de vestir.

O cômodo, em que ninguém havia entrado desde o crime, exceto o médico, apresentava, ao contrário do salão, a maior desordem. Duas cadeiras estavam derrubadas, uma das mesas quebrada e vários outros objetos, um relógio de cabeceira, um classificador, uma caixa de papel de carta, estavam jogados no chão. E havia sangue em algumas das folhas brancas espalhadas.

O médico afastou o lençol que escondia o cadáver. Jean Daval, vestido com suas roupas comuns de veludo e calçado com botas ferradas, estava estendido de costas, um dos braços dobrado sob o corpo. Sua camisa havia sido aberta e percebia-se um grande ferimento que lhe perfurava o peito.

– A morte deve ter sido instantânea – declarou o médico. – Uma facada foi o suficiente.

– Certamente com a faca que vi na lareira da sala, perto de um boné de couro? – indagou o juiz.

– Sim – certificou o conde de Gesvres, – a faca foi apanhada aqui mesmo. Vem da panóplia do salão de onde minha sobrinha, a senhorita de Saint-Véran, retirou a espingarda. Quanto ao boné de cocheiro, obviamente é o do assassino.

O senhor Filleul ainda estudou certos detalhes do cômodo, dirigiu algumas perguntas ao médico e pediu ao senhor de Gesvres que lhe fizesse o relato do que tinha visto e do que sabia. Eis em que termos o conde se expressou:

Arsène Lupin e a Agulha Oca

– Foi Jean Daval quem me acordou. Aliás, eu dormia mal, com lampejos de lucidez em que tinha a impressão de ouvir passos, quando de repente, abrindo os olhos, o vi aos pés da minha cama, a vela na mão, e totalmente vestido como está agora, porque muitas vezes trabalhava até tarde da noite. Ele parecia muito agitado e me disse em voz baixa: "Tem gente no salão". De fato, percebi um barulho. Levantei-me e entreabri suavemente a porta deste quarto de vestir. No mesmo momento, a outra porta que dá para o grande salão foi empurrada e apareceu um homem que saltou sobre mim e me deu um soco na têmpora. Conto-lhe isso sem maiores detalhes, senhor juiz de instrução, pelo motivo de que só me recordo dos fatos principais e de que esses fatos aconteceram com extraordinária rapidez.

– E depois?

– Depois, não sei mais… Quando me recuperei, Daval estava estendido, mortalmente ferido.

– À primeira vista, o senhor não suspeita de ninguém?

– Ninguém.

– O senhor não tem nenhum inimigo?

– Não que eu saiba.

– O senhor Daval também não os tinha?

– Daval! Um inimigo? Ele era a melhor criatura que já existiu. Durante vinte anos em que Jean Daval foi meu secretário e, posso dizer, meu confidente, nunca vi em torno dele senão simpatias e amizades.

– No entanto, aconteceu uma invasão, um assassinato, deve haver um motivo para tudo isso.

– O motivo? Foi o roubo, puro e simples.

– Alguém roubou algo do senhor?

– Nada.

– Então?

– Então, se não roubaram nada e não falta nada, pelo menos devem ter levado alguma coisa.

– O quê?

– Não sei. Mas minha filha e minha sobrinha lhe dirão, com absoluta certeza, que viram dois homens cruzar sucessivamente o parque e que eles carregavam fardos bastante grandes.

– Essas moças...

– Essas moças sonharam? Ficaria tentado a acreditar, pois, desde de manhã, estou me exaurindo em buscas e suposições. Mas é fácil interrogá-las.

Fizeram com que as duas primas viessem até o salão. Suzanne, ainda muito pálida e trêmula, mal conseguia falar. Raymonde, mais enérgica e corajosa, mais bonita também com o brilho dourado de seus olhos castanhos, contou os acontecimentos da noite e o papel que assumira neles.

– Então, senhorita, seu testemunho é categórico?

– Sem dúvida. Os dois homens que cruzavam o parque carregavam objetos.

– E o terceiro?

– Ele saiu daqui de mãos vazias.

– Poderia nos dar sua descrição?

– Ele nunca deixou de nos ofuscar com sua lanterna. No máximo, eu poderia dizer que é alto e de aparência pesada...

– Foi assim que ele lhe pareceu, senhorita? – perguntou o juiz a Suzanne de Gesvres.

– Sim... ou melhor, não... – disse Suzanne, pensando. – Eu o achei de estatura mediana e magro.

O senhor Filleul sorriu, acostumado às divergências de opinião e de visão entre as testemunhas de um mesmo fato.

– Estamos aqui, pois, em presença, por um lado, de um indivíduo, o do salão, que é ao mesmo tempo alto e baixo, gordo e magro e, por outro, de dois indivíduos, os do parque, os quais são acusados de terem removido deste salão objetos... que ainda estão aqui.

O senhor Filleul era um juiz da escola ironista, como ele mesmo dizia. Era também um juiz que não detestava uma plateia nem as oportunidades de mostrar ao público suas habilidades, como o atestava o crescente número de pessoas que se espremiam no salão. Aos jornalistas haviam se juntado o granjeiro e seu filho, o jardineiro e sua esposa, depois os funcionários do castelo, depois os dois cocheiros que haviam trazido as carruagens de Dieppe. Ele continuou:

– Seria também o caso de se colocar de acordo sobre a maneira como esse terceiro personagem desapareceu. A senhora atirou com essa espingarda e dessa janela?

– Sim, o homem estava chegando à lápide quase enterrada sob os arbustos, à esquerda do claustro.

– Mas ele se levantou?

– Pela metade apenas. Victor desceu imediatamente para vigiar a portinhola, e eu o segui, deixando nosso criado Albert aqui para observação.

Albert, por sua vez, deu seu testemunho, e o juiz concluiu:

– Consequentemente, segundo o senhor, o ferido não poderia escapar pela esquerda, pois seu camarada vigiava a porta, nem pela direita, pois o senhor o teria visto atravessar o gramado. Então, logicamente, ele está, no momento, no espaço relativamente pequeno que temos diante de nossos olhos.

– É minha opinião.

– É a sua, senhorita?

– Sim.

– E a minha também – disse Victor.

O assistente do procurador falou, em tom malicioso:

– O campo das investigações é estreito, só temos de continuar as buscas iniciadas há quatro horas.

– Talvez sejamos mais felizes.

O senhor Filleul pegou o boné de couro que estava em cima da lareira, examinou-o e, chamando o sargento de polícia, disse-lhe à parte:

– Sargento, mande imediatamente um de seus homens a Dieppe, na chapelaria Maigret, e que ele nos diga, se possível, a quem esse boné foi vendido.

"O campo das investigações", segundo a expressão do assistente, limitava-se ao espaço compreendido entre o castelo, o gramado à direita, e o ângulo formado pelo muro da esquerda e pelo muro oposto ao castelo; isto é, um quadrilátero de cerca de cem metros de lado, onde surgiam aqui e ali as ruínas de Ambrumésy, o mosteiro tão famoso na Idade Média.

Imediatamente, na grama pisada, notou-se a passagem do fugitivo. Em dois lugares, traços de sangue enegrecido, quase ressecado, foram observados. Depois da curva da arcada, que marcava a extremidade do claustro, nada mais restava, com a natureza do terreno, forrada de agulhas de pinheiro, não mais se prestando para registrar a marca de um corpo. Mas então, como o homem ferido poderia ter escapado do olhar da jovem, de Victor e de Albert? Algumas touceiras, que os criados e os gendarmes haviam derrubado, algumas lápides sob as quais haviam explorado, e era tudo.

O juiz de instrução fez com que o jardineiro, que tinha a chave, abrisse a Chapelle-Dieu, verdadeira joia da escultura que o tempo e as revoluções haviam respeitado e que sempre fora considerada, com as finas cinzeladuras do seu pórtico e a delicadeza de suas estatuetas, como uma das maravilhas do estilo gótico normando. A capela, muito simples por dentro, sem nenhum outro ornamento exceto seu altar de mármore, não oferecia nenhum refúgio. Além disso, ele teria de ter entrado nela. De que jeito?

A vistoria terminava na portinhola que servia de entrada para os visitantes das ruínas. Dava para um caminho escavado espremido entre o muro e um matagal onde se avistavam pedreiras abandonadas. O senhor Filleul inclinou-se para a frente: a poeira da estrada mostrava marcas de pneus antiderrapantes. Na verdade, Raymonde e Victor pensaram ter ouvido, depois do tiro de espingarda, o ronco do motor de um carro. O juiz de instrução insinuou:

– O ferido terá se juntado a seus cúmplices.

– Impossível! – exclamou Victor. – Eu estava lá, enquanto a senhorita e Albert ainda o avistavam.

– Enfim, ele tem de estar em algum lugar! Fora ou dentro, não temos escolha!

– Ele está aqui – disseram os criados teimosamente.

O juiz deu de ombros e voltou para o castelo, bastante soturno. Decididamente, a coisa ia mal. Um roubo em que nada fora roubado, um prisioneiro invisível, não havia nada para comemorar.

Era tarde. O senhor de Gesvres convidou para almoçar os magistrados, bem como os dois jornalistas. Comeram em silêncio, então o senhor Filleul voltou para o salão, onde interrogou os criados. Mas o trote de um cavalo ecoou na lateral do pátio e, um momento depois, o policial que havia sido enviado a Dieppe entrou:

– E então? Falou com o chapeleiro? – exclamou o juiz, impaciente por finalmente conseguir alguma informação.

– O boné foi vendido a um cocheiro.

– Um cocheiro!

– Sim, um cocheiro que parou a carruagem em frente à loja e perguntou se poderiam fornecer-lhe, para um de seus clientes, um boné de cocheiro de couro amarelo. Só havia esse. Ele pagou sem nem pensar no tamanho e foi embora. Estava com muita pressa.

– Que tipo de carruagem?

– Um cupê de quatro lugares.

– E em que dia foi?

– Que dia? Foi nesta manhã.

– Nesta manhã? O que você está me dizendo?

– O boné foi comprado esta manhã.

– Mas isso é impossível, já que ele foi encontrado esta noite no parque. Para isso tinha de ter estado ali e, consequentemente, ter sido comprado antes.

– O chapeleiro me disse que foi hoje de manhã.

Houve um momento de perplexidade. O juiz de instrução, estupefato, tentava compreender. De repente, ele teve um sobressalto, atingido por uma ideia luminosa.

– Tragam o cocheiro que nos conduziu até aqui esta manhã!

O sargento de polícia e seu subordinado correram apressados para os estábulos. Depois de alguns minutos, o sargento voltou sozinho.

– E o cocheiro?

– Ele se serviu na cozinha, almoçou e então...

– E então?

– Foi embora.

– Com sua carruagem?

– Não. A pretexto de ir ver um dos pais em Ouville, pediu emprestada a bicicleta do ajudante de cavalariças. Aqui está seu chapéu e seu casaco.

– Mas ele saiu sem nada na cabeça?

– Ele tirou um boné do bolso e o colocou.

– Um boné?

– Sim, de couro amarelo, ao que parece.

– De couro amarelo? Mas não é possível. Ele está aqui.

– De fato, senhor juiz de instrução, mas o dele era parecido.

O assistente do procurador deu um sorrisinho de escárnio.

– Muito engraçado! Muito divertido! Existem dois bonés... Um, que era o verdadeiro, e que constituía a nossa única prova, foi embora na cabeça do pseudococheiro. O outro, o falso, está em suas mãos. Ah! O tal homem nos enganou habilmente.

– Alcancem-no! É preciso pegá-lo! Que ele seja trazido de volta – gritou o senhor Filleul. – Sargento Quevillon, dois de seus homens a cavalo, e a galope!

– Ele está longe – disse o assistente do procurador.

– Por mais longe que ele esteja, temos de colocar nossas mãos nele.

– Espero que sim, mas acredito, senhor juiz de instrução, que nossos esforços devem, acima de tudo, concentrar-se aqui. Por favor, leia este papel que acabei de encontrar nos bolsos do casaco!

– Qual casaco?

– O do cocheiro.

E o assistente do procurador entregou ao senhor Filleul um papel dobrado em quatro, no qual se liam estas poucas palavras escritas a lápis, em uma caligrafia um tanto vulgar:

Ai Da jovem se ela tiver matado o chefe.

O incidente causou alguma emoção.

– Para bom entendedor, meia palavra basta. Estamos avisados – murmurou o assistente do procurador.

– Senhor conde – retomou o juiz de instrução –, imploro que não se preocupe. Também vocês, senhoritas. Essa ameaça não tem nenhuma importância, pois a justiça está presente. Todas as precauções serão tomadas. Eu respondo por sua segurança. Quanto aos senhores – acrescentou, dirigindo-se aos dois repórteres –, conto com sua discrição. É graças à minha complacência que vocês assistiram a essa investigação, e seria errado me recompensar…

Fez uma pausa, como se tivesse tido uma ideia, olhou para os dois jovens um de cada vez com atenção e se aproximou de um deles:

– Para qual jornal trabalha?

– Para o *Journal de Rouen*.

– Tem algum documento que o identifique?

– Aqui está.

O documento estava em ordem. Não havia nada a dizer. O senhor Filleul interpelou o outro repórter.

– E você?

– Eu?

– Sim, você, pergunto a que redação pertence.

– Meu Deus, senhor juiz de instrução, escrevo para vários jornais...

– Seu documento de identificação?

– Não tenho nenhum.

– Ah! E como pode ser isso?

– Para que um jornal emita uma identificação, é preciso que a pessoa escreva nele continuamente.

– E então?

– Então... Sou apenas um colaborador ocasional. Envio daqui e dali artigos que são publicados... ou recusados, dependendo das circunstâncias.

– Nesse caso, seu nome? Seus documentos?

– Meu nome não lhe acrescentaria nada. Quanto a meus documentos, não os tenho.

– Não tem um documento qualquer que ateste sua profissão?

– Não tenho profissão.

– Mas, afinal, senhor – exclamou o juiz com certa brutalidade –, não pretende, porém, ficar incógnito depois de ter sido introduzido aqui por esperteza e ter descoberto os segredos da justiça.

– Peço-lhe que observe, senhor juiz de instrução, que nada me perguntou quando cheguei e que, portanto, eu nada tinha a dizer. Além disso, não me pareceu que a investigação fosse secreta, posto que todos estavam presentes... até mesmo um dos culpados.

Ele falava baixinho, em um tom de infinita polidez. Era muito jovem, muito alto e muito magro, vestia calças bem curtas e um casaco por demais apertado. Tinha o rosto rosado de uma jovem, testa larga com cabelo à escovinha e uma barba loira mal aparada. Seus olhos tinham um brilho inteligente. Ele não parecia nem um pouco constrangido e deu um sorriso simpático em que não havia traços de ironia.

O senhor Filleul o observava com uma desconfiança agressiva. Os dois policiais avançaram. O jovem exclamou alegremente:

– Senhor juiz de instrução, é claro que suspeita que eu seja um dos cúmplices. Mas, se assim fosse, não teria eu me esquivado na hora certa, a exemplo do meu camarada?

– O senhor poderia esperar...

– Qualquer esperança teria sido absurda. Pense nisso, senhor juiz de instrução, e concordará que em boa lógica...

O senhor Filleul o olhou direto nos olhos, e disse secamente:

– Chega de brincadeiras! Seu nome?

– Isidore Beautrelet.

– Sua profissão?

– Estudante de retórica no liceu Janson-de-Sailly.

O senhor Filleul o olhou nos olhos, e disse secamente:

– O que você está querendo me dizer? Estudante de retórica...

– No liceu Janson, Rue de la Pompe, número...

– Ora – exclamou o senhor Filleul –, está zombando de mim! Vamos acabar com esse joguinho!

– Devo admitir, senhor juiz de instrução, que sua surpresa me espanta. O que há de errado em eu ser estudante no liceu Janson? Minha barba, talvez? Fique tranquilo, minha barba é falsa.

Isidore Beautrelet arrancou os poucos tufos que enfeitavam seu queixo, e seu rosto imberbe parecia ainda mais jovem e rosado, um verdadeiro rosto de estudante de liceu. E, enquanto um riso de criança revelava seus dentes brancos:

– Está convencido agora? Ainda precisa de provas? Aqui, leia, nestas cartas do meu pai o endereço:

"Sr. Isidore Beautrelet, interno no liceu Janson-de-Sailly".

Convencido ou não, o senhor Filleul não parecia estar gostando nada da história. Ele perguntou rispidamente:

– O que está fazendo aqui?

– Ora... estou me educando.

– Existem liceus para isso... o seu.

– Está se esquecendo, senhor juiz de instrução, que hoje, 23 de abril, estamos em pleno feriado da Páscoa.

– E daí?

– Bem, estou livre para usar esses dias de feriado como achar melhor.

– Seu pai?...

Meu pai mora longe, nas profundezas da Saboia, e foi ele mesmo quem me aconselhou a fazer uma pequena viagem à costa da Mancha.

– Com uma barba falsa?

– Oh! Isso não. A ideia foi minha. No liceu, falamos muito sobre aventuras misteriosas, lemos romances policiais em que as pessoas se disfarçam. Imaginamos muitas coisas complicadas e terríveis. Então, eu queria me divertir e coloquei uma barba postiça. Além disso, tinha a vantagem de ser levado a sério e me fazia passar por um repórter parisiense. Foi assim que ontem à noite, depois de mais de uma semana insignificante, tive o prazer de conhecer meu colega de Rouen e, esta manhã, sabendo do caso Ambrumésy, ele me propôs gentilmente acompanhá-lo e alugar um transporte dividindo a despesa.

Isidore Beautrelet dizia tudo isso com uma simplicidade franca, um tanto ingênua, da qual era impossível não sentir o encanto. O próprio senhor Filleul, embora conservando uma reserva desafiadora, sentia prazer em ouvi-lo.

Ele lhe perguntou num tom menos áspero:

– E está contente com sua expedição?

– Encantado! Nunca tinha assistido em um caso assim, e a este não falta interesse.

– Nem essas complicações misteriosas de que você tanto gosta.

– E que são tão fascinantes, senhor juiz de instrução! Não conheço emoção maior que ver todos os fatos que emergem das sombras, que se agrupam uns contra os outros e que gradualmente formam a verdade provável.

– A verdade provável... Está indo muito longe, meu jovem! Isso significa que já tem pronta sua pequena solução para o enigma?

– Oh! Não – respondeu Beautrelet, rindo. – Só... parece-me que há certos pontos em que não é impossível formar uma opinião, e outros, mesmo, tão precisos, que bastaria... concluir.

– Ora, mas isso está ficando muito curioso e finalmente vou saber de algo. Porque, confesso-lhe para minha grande vergonha, não sei nada.

– É porque não teve tempo de refletir, senhor juiz de instrução. O essencial é refletir. É muito raro que os fatos não tragam em si mesmos sua explicação. Não concorda? Em todo o caso, não constatei outros fatos além daqueles que constam no interrogatório.

– Maravilha! De sorte que se eu lhe perguntasse quais foram os itens roubados deste salão?

– Eu diria que sei quais são.

– Bravo! O senhor sabe mais sobre isso que o próprio dono! O senhor de Gesvres tem sua avaliação: o senhor Beautrelet não. Falta-lhe uma estante e uma estátua em tamanho natural, as quais ninguém nunca tinha notado. E se eu lhe perguntasse o nome do assassino?

– Também diria que sei qual é.

Houve um sobressalto entre todos os presentes. O assistente do procurador e o jornalista se aproximaram. O senhor de Gesvres e as duas jovens ouviam com atenção, impressionadas com a segurança serena de Beautrelet.

– O senhor sabe o nome do assassino?

– Sim.

– E o lugar onde ele está?

– Sim.

O senhor Filleul esfregou as mãos:

– Que sorte! Essa captura será a honra da minha carreira. E você pode, agora mesmo, me fazer essas fulminantes revelações?

– Sim, agora… Ou então, se não lhe for inconveniente, em uma ou duas horas, quando eu tiver assistido até o fim a investigação que está realizando.

– Mas não, imediatamente, rapaz…

Nesse momento, Raymonde de Saint-Véran, que, desde o início da cena, não tirara os olhos de Isidore Beautrelet, se aproximou do senhor Filleul.

– Senhor juiz de instrução…

– O que deseja, senhorita?

Por dois ou três segundos, ela hesitou, os olhos fixos em Beautrelet. Então, dirigindo-se ao senhor Filleul:

– Peço-lhe que pergunte ao cavalheiro o motivo pelo qual ele passeava ontem no caminho escavado que leva à portinhola.

A frase teve um efeito teatral. Isidore Beautrelet pareceu confuso.

– Eu, senhorita? Eu? A senhorita me viu ontem?

Raymonde permaneceu pensativa, os olhos ainda fixos em Beautrelet, como se tentasse firmar em si mesma sua convicção, e disse em tom firme:

– Eu encontrei no caminho escavado, às quatro da tarde, ao atravessar o bosque, um jovem do tamanho desse cavalheiro, vestido como ele, e que usava uma barba aparada como a dele… E tive a impressão de que estava tentando se esconder.

– E era eu?

– Seria impossível para mim dizer isso absolutamente, porque minha lembrança é um pouco vaga. Porém... no entanto parece-me bem... caso contrário, a semelhança seria estranha...

O senhor Filleul estava perplexo. Já enganado por um dos cúmplices, ia ele se deixar enganar por aquele que se dizia um estudante?

– O que tem a responder, senhor?

– Que a senhorita está enganada e que é fácil para mim demonstrá-lo. Ontem, a essa hora, eu estava em Veules.

– Será preciso provar isso, será preciso. Em todo caso, a situação não é mais a mesma. Sargento, um de seus homens fará companhia ao cavalheiro.

O rosto de Isidore Beautrelet mostrou uma forte contrariedade.

– Isso vai demorar?

– O tempo de reunir as informações necessárias.

– Senhor juiz de Instrução, imploro que as reúna com a maior rapidez e discrição possíveis...

– Por quê?

– Meu pai está velho. Nós nos amamos muito... e não gostaria que ele sofresse por mim.

O tom choroso de sua voz desagradou ao senhor Filleul. Aquilo cheirava a cena de melodrama. No entanto, ele prometeu:

– Esta noite... o mais tardar amanhã, saberei em que me apoiar.

A tarde avançava. O juiz voltou às ruínas do velho claustro, tendo o cuidado de proibir a entrada a todos os curiosos e, pacientemente, com método, dividindo o terreno em porções sucessivamente estudadas, ele mesmo dirigiu as investigações. Mas, no final do dia, ele não tinha ido muito adiante, e declarou a um exército de repórteres que havia invadido o castelo:

– Senhores, tudo nos leva a supor que o ferido está aqui, ao alcance de nossas mãos, tudo menos a realidade dos fatos. Portanto, em nossa humilde opinião, ele deve ter escapado e é lá fora que o encontraremos.

Por precaução, porém, organizou, de comum acordo com o sargento, a vigilância do parque e, após novo exame dos dois salões e uma visita completa ao castelo, depois de se ter municiado de todas as informações necessárias, retomou a estrada para Dieppe em companhia do assistente.

A noite chegou. Como o quarto de vestir deveria permanecer fechado, o cadáver de Jean Daval foi transportado para outro cômodo. Duas mulheres da região o velavam, ajudadas por Suzanne e Raymonde. Abaixo, sob o olhar atento do guarda-florestal, que tinha sido designado para ficar com ele, o jovem Isidore Beautrelet dormia no banco do antigo oratório. Lá fora, os policiais, o granjeiro e uma dúzia de camponeses estavam postados entre as ruínas e ao longo dos muros.

Até as onze da noite tudo foi tranquilo, mas às onze e dez um tiro soou do outro lado do castelo.

– Atenção – gritou o sargento. – Que dois homens fiquem aqui!... Fossier e Lecanu... Os outros em passo de corrida.

Juntos, todos avançaram e contornaram o castelo pela esquerda. Nas sombras, uma silhueta se esgueirou. Então, imediatamente, um segundo tiro mais distante os atraiu, quase nos limites da propriedade. E de repente, quando eles estavam chegando em grupo até a cerca viva que margeia o pomar, uma chama irrompeu à direita da casa do granjeiro, e outras chamas imediatamente se elevaram em uma coluna espessa. Era um celeiro em chamas, cheio de palha até o topo.

– Os patifes! – gritou o sargento Quevillon –, foram eles que atearam o fogo. Vamos agarrá-los, rapazes. Eles não podem estar longe.

Mas com a brisa empurrando as chamas para o prédio principal, era preciso antes de tudo afastar o perigo. Todos se entregaram a isso ainda com mais ardor pelo fato de senhor de Gesvres, após acorrer ao local do desastre, tê-los encorajado com a promessa de uma recompensa. Quando controlaram o fogo, eram duas da manhã. Qualquer perseguição teria sido inútil.

– Veremos isso à luz do dia – disse o sargento... – Com certeza, deixaram rastros... nós os encontraremos.

– E eu bem que gostaria – acrescentou o senhor de Gesvres –, de saber o motivo desse ataque. Atear fogo a fardos de palha parece-me totalmente inútil.

– Venha comigo, senhor conde... talvez eu possa lhe dizer a razão.

Juntos, eles chegavam às ruínas do claustro. O sargento chamou:

– Lecanu?... Fossier?...

Outros policiais já procuravam seus camaradas deixados de guarda. Acabaram descobrindo-os na entrada da portinhola. Estavam estendidos no chão, amarrados, amordaçados, com os olhos vendados.

– Senhor conde – murmurou o sargento ao serem libertados –, brincaram conosco como se fôssemos crianças.

– Como assim?

– Os tiros... o ataque... o incêndio... tudo isso foi apenas um ardil para nos atrair para aquele lado... Uma diversão... Durante esse tempo, amarraram nossos dois homens e a coisa foi feita.

– Que coisa?

– O sequestro do ferido, claro!

– Então o senhor acredita...?

– Se eu acho? É a verdade certa. Essa ideia me ocorreu há uns dez minutos. Mas não passo de um imbecil por não ter pensado nisso antes. Teríamos pegado todos eles.

Quevillon bateu o pé em um súbito acesso de raiva.

– Mas onde, diabos? Por onde eles passaram? Por onde o levaram? E ele, o bandido, onde estava se escondendo? Pois, afinal, examinamos a área o dia inteiro e um indivíduo não se esconde em um tufo de grama, principalmente quando está ferido. Essas histórias são mágicas!...

O sargento Quevillon ainda não esgotara seu espanto. Ao amanhecer, ao entrarem no oratório que servia de cela para o jovem Beautrelet, perceberam que ele havia desaparecido. Numa cadeira, curvado, o guarda campestre dormia. Ao lado dele estava uma garrafa e dois copos. No fundo de um desses copos, era possível ver um pouco de pó branco.

Após exame, comprovou-se, primeiro, que Beautrelet havia administrado um narcótico ao guarda-florestal, que ele só podia ter escapado por uma janela, situada a dois metros e meio de altura – e por fim, um detalhe interessante, que ele só conseguira chegar àquela janela usando as costas de seu guardião como degrau.

ISIDORE BEAUTRELET, ESTUDANTE DE RETÓRICA

Transcrito do *Grand Journal*:

NOTÍCIAS DA NOITE

Sequestro do doutor Delattre.

Um golpe de grande audácia.

No momento de enviar o jornal para impressão, recebemos uma notícia cuja autenticidade não ousamos garantir, de tal forma nos parece improvável. Portanto, a publicamos com todas as reservas.

Ontem à noite, o doutor Delattre, o famoso cirurgião, assistia com sua esposa e sua filha à apresentação de Hernani, na Comédie-Française. No início do terceiro ato, ou seja, por volta das *dez horas, a porta de seu camarote se abriu; um cavalheiro, que estava acompanhado por dois outros, inclinou-se para o médico e disse alto o suficiente para que a senhora Delattre ouvisse:*

– Doutor, tenho uma missão das mais penosas a cumprir e lhe ficaria muito grato se tornasse minha tarefa mais fácil.

– Quem é o senhor?

– Sou Thézard, comissário de polícia, e temos ordens de levá-lo ao senhor Dudouis, na Prefeitura.

– Mas, afinal de contas...

– Nem uma palavra, doutor, peço-lhe, nem um gesto... É um erro lamentável, por isso devemos agir em silêncio e não chamar a atenção de ninguém. Antes do final da apresentação, o senhor estará de volta, não tenho dúvidas.

O médico se levantou e seguiu o comissário. No final da apresentação, ele não havia retornado.

Muito preocupada, a senhora Delattre foi à delegacia. Lá, encontrou o verdadeiro senhor Thézard e reconheceu, para seu grande espanto, que o indivíduo que levara seu marido não passava de um impostor.

As primeiras buscas revelaram que o médico tinha entrado em um automóvel e esse automóvel havia se afastado na direção da Concorde.

Nossa segunda edição manterá nossos leitores informados sobre essa incrível aventura.

Por mais incrível que fosse, a aventura era verídica. O desfecho não devia tardar a chegar e *Le Grand Journal*, ao mesmo tempo que a confirmava na edição do meio-dia, anunciou em poucas palavras a reviravolta que a encerrava.

O FIM DA HISTÓRIA
e o início das suposições.

Esta manhã, às nove horas, o doutor Delattre foi trazido de volta à porta do número 78 da Rua Duret, por um automóvel que, logo em seguida, rapidamente se distanciou. O número 78 da Rua Duret nada mais é que a própria clínica do doutor Delattre, clínica onde ele chega todas as manhãs nessa mesma hora.

Quando nos apresentamos, o médico, que estava em reunião com o chefe da Segurança, teve a gentileza de nos receber.

– Tudo que posso dizer – respondeu ele –, é que fui tratado com o maior respeito. Meus três companheiros são as pessoas mais charmosas que conheço, primorosamente educados, espirituosos e bons conversadores, o que não era desprezível, dada a extensão da viagem.

– Quanto tempo durou?

– Cerca de quatro horas.

– E o propósito dessa viagem?

– Fui levado a um paciente cujo estado exigia uma intervenção cirúrgica imediata.

– E essa operação deu certo?

– Sim, mas as consequências são temíveis. Aqui, eu responderia pelo doente. Mas lá, nas condições em que se encontra...

– Más condições?

– Execráveis... Um quarto de hospedaria... e a impossibilidade, por assim dizer absoluta, de receber tratamento.

– Então, quem pode salvá-lo?

– Um milagre... e, além do milagre propriamente dito, a sua constituição de uma força excepcional.

– E o senhor não pode falar mais sobre esse estranho cliente?

– *Não posso. Primeiro, jurei, e depois recebi a quantia de dez mil francos[1] em benefício da minha clínica popular. Se eu não ficar calado, essa quantia me será retomada.*

– *Ora, vamos! Acredita?*

– *Por minha fé, sim, acredito. Todas essas pessoas me parecem extremamente sérias.*

Essas foram as declarações que o médico nos deu.

E sabemos, por outro lado, que o chefe da Segurança ainda não conseguiu obter dele informações mais precisas sobre a operação que realizou, sobre o paciente que tratou e sobre as regiões que o automóvel percorreu. Portanto, parece difícil saber a verdade.

Essa verdade que o redator da entrevista admitia ser impotente para descobrir, as mentes um tanto clarividentes adivinharam por uma simples associação dos fatos ocorridos na véspera no castelo de Ambrumésy, e que todos os jornais noticiavam no mesmo dia nos mínimos detalhes. Obviamente, havia ali, entre o desaparecimento de um ladrão ferido e o sequestro de um famoso cirurgião, uma coincidência que devia ser levada em consideração.

A investigação, além disso, demonstrou a exatidão da hipótese. Ao seguir o rastro do pseudococheiro que fugira de bicicleta, constatou-se que este tinha chegado à floresta de Arques, situada a cerca de quinze quilômetros; que, dali, depois de ter atirado a bicicleta numa vala, ele se dirigira ao povoado de São Nicolau, e enviara a seguinte mensagem:

A.L.N., ESCRITÓRIO 45, PARIS
Situação desesperada. Operação urgente. Envie uma celebridade pela nacional catorze.

---

[1] Francos de 1909. (N.E.)

A prova era irrefutável. Avisados, os cúmplices em Paris se apressaram em fazer seus arranjos. Às dez horas da noite, despacharam a celebridade pela estrada nacional número 14 que margeia a floresta de Arques e termina em Dieppe. Nesse período, graças ao incêndio ateado por ele mesmo, o bando de ladrões sequestrava seu líder e o transportava para uma hospedaria onde a operação passara a ser realizada assim que o médico chegou, por volta das duas da manhã.

Não havia dúvidas sobre isso. Em Pontoise, em Gournay, em Forges, o inspetor-chefe Ganimard, enviado especialmente de Paris, com o inspetor Folenfant, constatou a passagem de um automóvel na noite anterior... Da mesma forma, na estrada de Dieppe para Ambrumésy; e, embora os rastros do carro se perdessem a cerca de meia légua do castelo, pelo menos era possível notar muitos vestígios de passos entre a portinhola do parque e as ruínas do claustro. Além disso, Ganimard chamou a atenção para o fato de que a fechadura da portinhola fora forçada.

Então, tudo se explicava. Restava determinar de qual hospedaria o médico havia falado. Tarefa fácil para um policial experiente como Ganimard, bisbilhoteiro e paciente. O número de hospedarias é limitado, e esta, dado o estado do ferido, só poderia ficar nas proximidades de Ambrumésy. Ganimard e o sargento se puseram a campo. Quinhentos metros, mil metros, cinco mil metros ao redor, eles visitaram e vasculharam tudo que pudesse passar por uma hospedaria. Mas, contra todas as probabilidades, o moribundo persistiu em permanecer invisível.

Ganimard se manteve obstinado. Voltou ao castelo para dormir na noite de sábado, com a intenção de fazer sua investigação pessoal no domingo. No entanto, na manhã de domingo, ele soube que uma ronda de policiais vira naquela mesma noite uma figura escorregando no caminho escavado, fora dos muros. Era um cúmplice que voltava com informações? Seria o caso de supor que o líder do bando não havia deixado o claustro ou os arredores dele?

À noite, Ganimard dirigiu abertamente o esquadrão de policiais para o lado da granja e colocou a si mesmo e a Folenfant fora dos muros, perto da porta.

Um pouco antes da meia-noite, um indivíduo emergiu do bosque, disparou entre eles, cruzou a soleira da porta e penetrou no parque. Por três horas, eles o viram vagando pelas ruínas, curvando-se, escalando os velhos pilares, às vezes permanecendo imóvel por longos minutos. Então, ele se aproximou da porta e novamente passou entre os dois inspetores.

Ganimard o pegou pela gola, enquanto Folenfant o segurava pela cintura. Ele não ofereceu resistência e, obedientemente, permitiu que lhe amarrassem os pulsos e o conduzissem ao castelo. Mas, quando quiseram interrogá-lo, ele simplesmente respondeu que não lhes devia nenhuma explicação e que aguardaria a chegada do juiz de instrução.

Então, eles o amarraram firmemente ao pé de uma cama, em um dos dois quartos adjacentes que ocupavam.

Segunda-feira de manhã, às nove horas, assim que o senhor Filleul chegou, Ganimard anunciou a captura que havia realizado. Fizeram com que o prisioneiro descesse. Era Isidore Beautrelet.

– Senhor Isidore Beautrelet! – exclamou o senhor Filleul, com ar de alegria, estendendo as mãos para o recém-chegado. – Que surpresa boa! Nosso excelente detetive amador, aqui! À nossa disposição!… Mas é uma dádiva de Deus! Inspetor, permita-me apresentar-lhe o senhor Beautrelet, estudante de retórica no liceu Janson-de-Sailly.

Ganimard pareceu um pouco confuso. Isidore o cumprimentou em voz baixa, como um colega estimado por seu valor, e voltando-se para o senhor Filleul:

– Parece, senhor juiz de instrução, que recebeu boas informações sobre mim?

– Ótimas! Em primeiro lugar, você estava de fato em Veules-les-Roses quando a senhorita de Saint-Véran pensou tê-lo visto no caminho escavado. Vamos descobrir, não tenho dúvidas, a identidade de seu sósia. Em seguida, o senhor é de fato Isidore Beautrelet, um estudante de retórica, e até mesmo um excelente aluno, aplicado e de conduta exemplar. Como seu pai mora na província, você sai apenas uma vez por mês e se hospeda na casa do correspondente dele, o senhor Bernod, que não economiza elogios a seu respeito.

– De modo que...

– De modo que está livre.

– Absolutamente livre?

– Sem dúvida. Ah! No entanto, coloco para isso uma condição pequena, muito pequena. Entende que não posso libertar um cavalheiro que administra narcóticos, que foge pelas janelas e que é então pego em flagrante delito de vagabundagem em uma propriedade privada, sendo isso algo que não posso fazer sem uma compensação.

– Entendo.

– Então... vamos retomar nossa conversa interrompida, e você vai me dizer em que ponto estão suas buscas... Em dois dias de liberdade, deve ter avançado bastante com elas.

E como Ganimard estava para sair, demonstrando desdém por esse tipo de exercício, o juiz exclamou:

– Mas de forma alguma, senhor inspetor, seu lugar é aqui... Garanto-lhe que vale a pena ouvir o senhor Isidore Beautrelet. O senhor Isidore Beautrelet, de acordo com minhas informações, conquistou no liceu Janson-de-Sailly uma reputação de observador a quem nada pode passar despercebido, e me foi dito que seus colegas estudantes o consideram como seu êmulo, como o rival de Herlock Sholmes.

– É mesmo? – Ganimard disse em tom irônico.

– Perfeitamente. Um deles escreveu-me: "Se Beautrelet declara que sabe, deve-se acreditar nele e não duvide que o que ele vai dizer seja a expressão exata da verdade". Senhor Isidore Beautrelet, é agora ou nunca o momento de justificar a confiança de seus companheiros. Eu lhe ordeno, forneça-nos a expressão exata da verdade.

Isidore ouviu com um sorriso e respondeu:

– Senhor juiz de instrução, o senhor é cruel. Zomba dos pobres estudantes que se divertem como podem. O senhor tem toda a razão, aliás, não vou lhe dar outros motivos para me ridicularizar.

– Acontece que você não sabe nada, senhor Isidore Beautrelet.

– Admito, na verdade, muito humildemente, que nada sei. Porque não chamo "saber de alguma coisa" a descoberta de dois ou três pontos mais precisos que, aliás, tenho certeza, não lhe escaparam.

– Por exemplo?

– Por exemplo, o objeto do roubo.

– Ah, você realmente sabe qual foi o objeto do roubo?

– Como não tenho dúvidas de que o senhor o conhece. Foi mesmo a primeira coisa que estudei, já que era a tarefa que me parecia mais fácil.

– Mais fácil mesmo?

– Meu Deus, sim. É, no máximo, uma questão de raciocínio.

– Não mais?

– Não mais.

– E esse raciocínio?

– Aqui está, despojado de qualquer comentário. Primeiramente, *houve roubo*, já que essas duas jovens concordam em que de fato viram dois homens fugindo com objetos.

– Houve roubo.

– Por outro lado, *nada desapareceu*, já que o senhor de Gesvres afirma isso e ele mais que ninguém está em condições de sabê-lo.

– Nada desapareceu.

– Dessas duas observações, decorre inevitavelmente a seguinte consequência: a partir do momento em que houve roubo e nada desapareceu, é porque o objeto levado foi substituído por um objeto idêntico. Pode ser, apresso-me a dizer, que esse raciocínio não seja confirmado pelos fatos. Mas afirmo que é o primeiro que deve ser oferecido a nós, e que alguém tem o direito de rejeitá-lo somente após um exame sério.

– De fato... de fato... – murmurou o juiz de instrução, visivelmente interessado.

– Agora – continuou Isidore –, o que havia neste salão que poderia atrair a cobiça dos ladrões? Duas coisas. A tapeçaria primeiro. Não pode ser isso. Uma velha tapeçaria não pode ser imitada, e a fraude teria saltado aos olhos. Restavam os quatro Rubens.

– O que está dizendo?

– Digo que os quatro Rubens pendurados nesta parede são falsos.

– Impossível!

– Eles são falsos, *a priori*, inevitavelmente, e sem apelação.

– Repito que é impossível.

– Quase um ano atrás, senhor juiz de instrução, um jovem que se autodenominava Charpenais veio ao castelo de Ambrumésy e pediu permissão para copiar as pinturas de Rubens. Essa permissão foi concedida a ele pelo senhor de Gesvres. Todos os dias, durante cinco meses, de manhã à noite, Charpenais trabalhou neste salão. Foram as cópias que fez, molduras e telas, que substituíram as quatro grandes pinturas originais legadas ao senhor de Gesvres por seu tio, o marquês de Bobadilla.

– A prova?

– Não tenho provas para oferecer. Um quadro é falso porque é falso e acho que nem é preciso se examinar isso.

O senhor Filleul e Ganimard se entreolharam sem esconder seu espanto. O inspetor não pensava mais em se retirar. No final, o juiz de instrução murmurou:

– Seria necessário ter a opinião do senhor de Gesvres.

E Ganimard aprovou:

– Seria preciso ter sua opinião.

E deram ordem para que o conde fosse chamado ao salão.

Era uma verdadeira vitória para o jovem retórico. Obrigar dois profissionais como o senhor Filleul e Ganimard a levar em conta suas hipóteses, essa era uma homenagem da qual qualquer outro teria se orgulhado. Mas Beautrelet parecia insensível a essas pequenas satisfações de amor-próprio e, ainda sorrindo, sem a menor ironia, esperava. O senhor de Gesvres entrou.

– Senhor conde – disse-lhe o juiz de instrução –, o prosseguimento da nossa investigação coloca-nos frente à frente com uma eventualidade totalmente imprevista, e que lhe apresentamos com todas as reservas. Pode ser... eu digo, pode ser... que os assaltantes, ao invadir sua casa, tivessem por objetivo roubar seus quatro Rubens ou pelo menos substituí-los por quatro cópias... cópias que teriam sido executadas há um ano por um pintor chamado Charpenais. O senhor gostaria de examinar essas pinturas e nos dizer se as reconhece como autênticas?

O conde pareceu reprimir um movimento de contrariedade. Olhou para Beautrelet, depois para o senhor Filleul, e respondeu sem se preocupar em se aproximar dos quadros:

– Eu esperava, senhor juiz de instrução, que a verdade continuaria ignorada. Já que não aconteceu isso, não hesito em declarar: esses quatro quadros são falsos.

– Então o senhor sabia?

– Desde a primeira hora.

– Por que não disse?

– O proprietário de um objeto nunca tem pressa em dizer que esse objeto não é... ou não é mais autêntico.

– No entanto, essa era a única maneira de encontrá-los.

– Havia uma melhor.

– Qual?

– A de não tornar público o segredo, não assustar meus ladrões e lhes propor o resgate dos quadros com os quais eles devem estar um tanto embaraçados.

– Como se comunicar com eles?

O conde não respondeu, foi Isidore quem o fez:

– Por uma nota colocada nos jornais. Esta pequena nota foi publicada em *Le Journal* e *Le Matin*, nos seguintes termos:

Estou disposto a comprar de volta os quadros.

O conde assentiu. Mais uma vez, o jovem levou vantagem em relação aos mais velhos. O senhor Filleul era um bom jogador.

– Decididamente, caro senhor, estou começando a acreditar que seus camaradas não estão totalmente errados. Santo Deus, que visão! Que intuição! Se isso continuar, o senhor Ganimard e eu não teremos mais nada para fazer.

– Ora, essa parte não tinha nada de tão complicado.

– Quer dizer que o resto é mais? Eu me lembro de que, quando do nosso primeiro encontro, você parecia saber mais. Vejamos, pelo que me lembro, você disse que sabia o nome do assassino...

– De fato.

– Quem então matou Jean Daval? Esse homem está vivo? Onde ele está escondido?

– Há um mal-entendido entre nós, senhor juiz, ou melhor, um mal--entendido entre o senhor e a realidade dos fatos, e isso desde o início. O assassino e o fugitivo são dois indivíduos distintos.

– O que está dizendo? – exclamou o senhor Filleul. – O homem que o senhor de Gesvres viu no quarto de vestir e contra quem lutou, o homem que essas jovens viram no salão e em quem a senhorita de

Saint-Véran atirou, o homem que caiu no parque e que estamos procurando, esse homem não foi quem matou Jean Daval?

– Não.

– Você descobriu os vestígios de um terceiro cúmplice que teria desaparecido antes da chegada dessas jovens?

– Não.

– Então eu não entendo mais... Quem é então o assassino de Jean Daval?

– Jean Daval foi morto por...

Beautrelet fez uma pausa, permaneceu pensativo por um momento e retomou:

– Mas primeiro devo mostrar-lhe o caminho que segui para chegar à certeza, e as próprias razões do assassinato... sem o que minha acusação lhe pareceria monstruosa... E ela não é... não, ela não é... Há um detalhe que não foi notado e que no entanto é da maior importância: é que Jean Daval, no momento em que foi atingido, estava completamente vestido, calçado com suas botas de caminhada, enfim, vestido como em pleno dia. No entanto, o crime foi cometido às quatro da manhã.

– Percebi essa estranheza – disse o juiz. – O senhor de Gesvres respondeu que Daval passava parte de suas noites trabalhando.

– Os criados dizem, ao contrário, que ele costumava se deitar muito cedo. Mas admitamos que estivesse de pé: por que desfez a cama para dar a impressão de que mentia? E se ele estava deitado, por que, ao ouvir o barulho, se deu ao trabalho de se vestir da cabeça aos pés, em vez de se vestir sumariamente? Visitei seu quarto no primeiro dia, enquanto o senhor almoçava: seus chinelos estavam ao pé da cama. Quem o impediu de colocá-los, em vez de calçar suas pesadas botinas ferradas?

– Até agora, não vejo...

– Até agora, na verdade, o senhor só pode ver anomalias. No entanto, pareceram-me muito mais suspeitas quando soube que o pintor

Charpenais, o copista de Rubens, fora apresentado ao conde pelo próprio Jean Daval.

– E então?

– Então… daí a concluir que Jean Daval e Charpenais eram cúmplices, resta apenas um passo. Este passo, eu já o tinha dado quando de nossa conversa.

– Um pouco rápido, me parece.

– Na verdade, era necessária uma prova material. Ora, eu tinha descoberto no quarto de Daval, numa das folhas do bloco em que ele escrevia, este endereço, que aliás ainda está, decalcado pelo avesso, no mata-borrão: "Senhor A.L.N., agência 45, Paris". No dia seguinte, descobriu-se que o telegrama enviado de Saint-Nicolas pelo pseudococheiro tinha esse mesmo endereço: "A.L.N., agência 45". A prova material existia, Jean Daval se correspondia com o bando que havia organizado o sequestro dos quadros.

O senhor Filleul não fez nenhuma objeção.

– Está bem. A cumplicidade está estabelecida. E o que conclui disso?

– Em primeiro lugar, não foi o fugitivo quem matou Jean Daval, já que Jean Daval era seu cúmplice.

– Então?

– Senhor juiz de instrução, lembra-se da primeira frase que o senhor de Gesvres pronunciou ao acordar de seu desmaio. A frase, relatada pela senhorita de Gesvres, está nos autos: "Não estou ferido. E Daval?… Está vivo?… A faca?". Peço-lhe que a confronte com a parte de seu depoimento, também gravada nos autos, em que o senhor de Gesvres relata o ataque: "O homem saltou sobre mim e deu-me um soco na têmpora". Como poderia o senhor de Gesvres, que estava inconsciente, saber ao acordar que Daval fora atingido por uma faca?

Beautrelet não esperou de forma alguma por uma resposta à sua pergunta. Alguém diria que ele se apressava em fornecê-la ele mesmo, a fim de cortar todos os comentários. Ele recomeçou imediatamente:

– Portanto, foi Jean Daval quem conduziu os três ladrões para este salão. Enquanto ele estava ali com aquele que eles chamam de chefe, um barulho foi ouvido no quarto de vestir. Daval abriu a porta. Reconhecendo o senhor de Gesvres, correu em sua direção, armado com a faca. O senhor de Gesvres conseguiu arrancar-lhe a faca, golpeou-o com ela e caiu atingido por um soco por aquele indivíduo que as duas meninas devem ter visto poucos minutos depois.

De novo, o senhor Filleul e o inspetor se entreolharam. Ganimard balançou a cabeça desconcertado. O juiz retomou:

– Senhor conde, devo acreditar que essa versão é correta?...

O senhor de Gesvres não respondeu.

– Vamos, senhor conde, seu silêncio nos permitiria supor...

Muito claramente, o senhor de Gesvres pronunciou:

– Esta versão está correta em todos os aspectos.

O juiz sobressaltou-se.

– Então, não entendo por que o senhor induziu a justiça a incorrer num erro. Por que encobrir um ato que o senhor tinha o direito de cometer, em legítima defesa?

– Durante vinte anos – disse o senhor de Gesvres –, Daval trabalhou ao meu lado. Eu confiava nele. Ele me prestou serviços inestimáveis. Se ele me traiu, seguindo não sei quais tentações, eu pelo menos não queria, em memória do passado, que sua traição fosse conhecida.

– O senhor não queria, mas tinha de...

– Não sou da sua opinião, senhor juiz de instrução. Desde que nenhum inocente fosse acusado desse crime, meu direito absoluto era de não acusar aquele que foi ao mesmo tempo o culpado e a vítima. Ele está morto. Acredito que a morte é um castigo suficiente.

– Mas agora, senhor conde, agora que a verdade foi revelada, o senhor pode falar.

– Sim. Aqui estão dois rascunhos de cartas escritas por ele aos seus cúmplices. Eu os tirei de sua carteira alguns minutos após sua morte.

– E quanto ao motivo do roubo?

– Vá a Dieppe, no número 18 da Rue de la Barre. Ali mora uma certa senhora Verdier. Foi por causa dessa mulher, que ele conheceu há dois anos, para sustentar suas necessidades de dinheiro, que Daval roubou.

Então tudo ia sendo esclarecido. O drama emergia das sombras e aos poucos aparecia sob uma luz verdadeira.

– Continuemos – disse o senhor Filleul, depois que o conde se retirou.

– Por minha fé – disse Beautrelet alegremente –, esgotei quase todos os meus recursos.

– Mas o fugitivo, o ferido?

– Sobre isso, senhor juiz de instrução, o senhor sabe tanto quanto eu… O senhor seguiu o rastro dele na grama do claustro… O senhor sabe…

– Sim, eu sei… mas, depois, eles o levaram, e o que eu queria são as indicações dessa hospedaria…

Isidore Beautrelet caiu na gargalhada.

– A hospedaria! A hospedaria não existe! É um truque para despistar a justiça, um truque engenhoso já que teve sucesso.

– No entanto, o doutor Delattre afirma…

– Ora, justamente – gritou Beautrelet, em tom convicto. – É porque o doutor Delattre afirma que não se deve acreditar.

– Como assim?

– De sua aventura, o doutor Delattre quis fornecer apenas os detalhes mais vagos! Não quis dizer nada que pudesse comprometer a segurança de seu cliente… E de repente ele chama a atenção para uma hospedaria! Mas pode ter certeza de que, se ele usou essa palavra hospedaria, foi porque lhe foi imposta. Pode estar certo de que toda a história que ele nos contou lhe foi ditada sob ameaça de terríveis represálias. O médico tem mulher e filha. E as ama demais para desobedecer às pessoas cujo formidável poder ele experimentou. E é por isso que ele forneceu aos seus esforços a indicação mais precisa.

– Tão precisa que a hospedaria não pode ser encontrada.

– Tão precisa que o senhor continua procurando, contra toda probabilidade, e seus olhos se desviaram do único lugar onde o homem pode estar, desse lugar misterioso que ele não deixou, do qual nunca saiu desde o momento em que, ferido pela senhorita de Saint-Véran, conseguiu deslizar para dentro dele, como um animal em sua toca.

– Mas onde, caramba?...

– Nas ruínas da velha abadia.

– Mas não há muitas ruínas mais! Alguns restos de muros! Algumas colunas!

– É ali que ele se esconde, senhor juiz de instrução – exclamou Beautrelet com força –, é ali que devem se limitar suas buscas! É ali, e não em outro lugar, que o senhor encontrará Arsène Lupin.

– Arsène Lupin! – exclamou o senhor Filleul, levantando-se de um salto.

Houve um silêncio um tanto solene, no qual se prolongaram as sílabas do nome famoso. Arsène Lupin, o grande aventureiro, o rei dos ladrões, seria possível que fosse ele o adversário vencido, mas ainda assim invisível, que procuravam encarniçadamente e em vão havia vários dias? Mas Arsène Lupin apanhado na armadilha, preso, por um juiz de instrução, significava uma promoção imediata, a fortuna, a glória!

Ganimard não havia reagido. Isidore lhe disse:

– O senhor concorda comigo, não é, inspetor?

– Diabos!

– O senhor também. O senhor nunca duvidou de que ele fosse o organizador desse caso?

– Nem por um segundo! A assinatura está aí. Um golpe de Lupin é diferente de outro golpe, como um rosto é de outro rosto. Só precisa abrir os olhos.

– Você acredita... você acredita... – repetia o senhor Filleul.

– Claro que acredito! – gritou o jovem. – Veja, apenas este pequeno fato: usando quais iniciais essas pessoas se correspondiam? A.L.N., ou seja, a primeira letra do nome de Arsène, a primeira e a última do nome de Lupin.

– Ah! – disse Ganimard –, nada lhe escapa. Você é dos bons, e o velho Ganimard está baixando as defesas.

Beautrelet corou de prazer e apertou a mão que o inspetor lhe estendia. Os três homens tinham se aproximado do balcão e seu olhar se estendia sobre o campo de ruínas. O senhor Filleul murmurou:

– Então, ele estaria ali.

– *Ele está ali* – disse Beautrelet, numa voz contida. – Ele está ali desde o minuto em que caiu. De um ponto de vista lógico e prático, ele não poderia escapar sem ser visto pela senhorita de Saint-Véran e pelos dois criados.

– Que prova você tem disso?

– A prova, seus cúmplices a forneceram para nós. Naquela mesma manhã, um deles se disfarçou de cocheiro e trouxe o senhor até aqui...

– Para recuperar o boné, peça de identidade.

– Sim, mas também, e acima de tudo, para visitar o lugar, e verificar por si mesmo o que havia acontecido com o patrão.

– E ele conseguiu?

– Acho que sim, já que conhecia o esconderijo. E suponho que lhe foi revelado o estado de desespero de seu chefe, pois, sob o efeito da ansiedade, cometeu a imprudência de escrever esta frase de ameaça: *"Ai da jovem se ela tiver matado o chefe".*

– Mas seus amigos foram capazes de sequestrá-lo depois?

– Quando? Seus homens não deixaram as ruínas. E então para onde o teriam levado? No máximo a algumas centenas de metros de distância, porque não se faz um moribundo viajar... Nesse caso, os senhores o teriam encontrado. Não, eu lhe digo, ele está lá. Seus amigos não o teriam arrancado do mais seguro dos retiros. Foi para lá que levaram o médico, enquanto os policiais corriam como crianças para o fogo.

– Mas como ele vive? Para viver é preciso comida, água!

– Não posso dizer nada... Não sei de nada... mas ele está ali, juro. Ele está ali porque não pode deixar de estar. Tenho certeza disso como se o visse, como se o tocasse. Ele está ali.

Com o dedo apontado em direção às ruínas, ele desenhava um pequeno círculo no ar que ia diminuindo gradualmente até se tornar apenas um ponto. E, esse ponto, os dois companheiros o procuravam desesperadamente, ambos curvados sobre o espaço, ambos comovidos pela mesma fé de Beautrelet e tremendo pela convicção ardente que ele lhes havia imposto. Sim, Arsène Lupin estava ali. Na teoria como de fato, ele estava ali, nenhum dos dois poderia duvidar mais.

E havia algo de terrível e trágico no fato de que, em algum refúgio escuro, jazia por terra, indefeso, febril, exausto, o famoso aventureiro.

– E se ele morrer? – disse M. Filleul em voz baixa.

– Se ele morrer – disse Beautrelet –, e se seus cúmplices tiverem certeza disso, cuide da salvação da senhorita Saint-Véran, senhor juiz, porque a vingança será terrível.

Poucos minutos depois, e apesar das súplicas do senhor Filleul, que de bom grado se conformaria com esse prestigioso auxiliar, Beautrelet, cujas férias terminavam nesse mesmo dia, retomou a estrada para Dieppe. Ele desembarcou em Paris por volta das cinco horas e, às oito horas, cruzava ao mesmo tempo que seus companheiros a porta do liceu Janson.

Ganimard, depois de uma exploração tão meticulosa quanto inútil nas ruínas de Ambrumésy, voltou no expresso da noite. Quando chegou em casa, encontrou a seguinte mensagem:

Senhor inspetor-chefe,

Tendo tido um pouco de folga no final do dia, pude recolher algumas informações adicionais que não deixarão de interessá-lo.

Há um ano, Arsène Lupin mora em Paris com o nome de Etienne de Vaudreix. É um nome que o senhor pôde ler com frequência em colunas sociais ou em reportagens esportivas. Grande viajante, ausenta-se por longos períodos, durante os quais vai, diz ele, caçar tigres em Bengala ou raposas-azuis na Sibéria.

Passa por negociante, sem que se possa especificar a que negócios se dedica.

Seu domicílio atual: Rue Marbeuf, 36. (Observe que a Rue Marbeuf fica perto da agência do Correio número 45.) Desde quinta-feira, 23 de abril, um dia antes do ataque de Ambrumésy, não temos notícias de Etienne de Vaudreix.

Receba, senhor inspetor-chefe, com toda a minha gratidão pela gentileza que me dispensou, meus melhores votos de estima e consideração.

Isidore Beautrelet

P.S.: Acima de tudo, não pense que me custou muito obter essas informações. Na própria manhã do crime, quando o senhor Filleul continuava sua instrução na frente de uns poucos privilegiados, tive a feliz inspiração de examinar o boné do fugitivo antes que o pseudococheiro viesse trocá-lo. O nome do chapeleiro foi suficiente para mim, pode imaginar, para encontrar o fio que me fez saber o nome do comprador e seu domicílio.

Na manhã seguinte, Ganimard apresentava-se no número 36 da Rue Marbeuf. Após obter informações com o porteiro, ele mandou abrir o andar térreo à direita, onde não descobriu nada além de cinzas na lareira. Quatro dias antes, dois amigos tinham vindo queimar todos os papéis comprometedores. Mas, na hora de ir embora, Ganimard passou pelo carteiro, que trazia uma carta para o senhor de Vaudreix. À tarde, o Ministério Público, encarregado do caso, reclamava a carta. Tinha o carimbo da América e continha estas linhas, escritas em inglês:

Senhor,

Confirmo a resposta que dei ao seu agente. Assim que tiver em sua posse os quatro quadros do senhor de Gesvres, envie-os pelo método combinado. O senhor poderá acrescentar o resto, caso tenha conseguido, o que duvido muito.

Um imprevisto me obriga a partir, chegarei ao mesmo tempo que esta carta. Vai me encontrar no Grand-Hôtel.

Harlington

No mesmo dia, Ganimard, munido de um mandado de prisão, levou ao distrito o senhor Harlington, um cidadão americano, acusado de receptação e de cumplicidade em roubo.

Assim, no espaço de vinte e quatro horas, graças às indicações verdadeiramente inesperadas de um garoto de dezessete anos, todos os nós da trama se desatavam. Em vinte e quatro horas, o que era inexplicável tornava-se simples e brilhante. Em vinte e quatro horas, o plano dos cúmplices para salvar seu chefe fora frustrado, a captura de Arsène Lupin ferido, moribundo, era dada como certa, seu bando estava desorganizado, sabia-se onde estava instalado em Paris, conhecia-se a máscara com que se cobria. E trazia-se à luz, pela primeira vez, antes que ele pudesse assegurar a sua execução, um de seus golpes mais hábeis e mais longamente estudados.

Houve então como que um clamor imenso de espanto, admiração e curiosidade. O jornalista de Rouen, num artigo de muito sucesso, havia contado o primeiro interrogatório do jovem retórico, destacando sua boa presença, seu charme ingênuo e sua segurança tranquila. As indiscrições às quais sem querer Ganimard e o senhor Filleul se abandonaram, arrastados por um ímpeto mais forte que seu orgulho profissional, iluminaram o público sobre o papel de Beautrelet durante os últimos acontecimentos. Ele sozinho tinha feito tudo. Apenas para ele ia todo o crédito pela vitória.

As pessoas ficaram apaixonadas. De um dia para o outro, Isidore Beautrelet se tornou um herói, e a multidão, repentinamente fascinada, exigiu mais detalhes sobre seu novo favorito. Os repórteres se dedicaram a isso. Lançaram-se de assalto ao liceu Janson-de-Sailly, vigiaram os alunos do externato na saída das aulas e reuniram tudo que estava relacionado, de perto ou de longe, a Beautrelet; e assim se soube da reputação de que gozava entre seus camaradas aquele a quem chamavam de rival de Herlock Sholmes. Raciocinando com lógica e sem mais informações do que as que lia nos jornais, ele tinha, em várias ocasiões, anunciado a solução de casos complicados que a justiça só iria desvendar muito tempo depois. No liceu Janson havia se tornado uma diversão colocar para Beautrelet perguntas difíceis, problemas indecifráveis, e era de espantar com que certeza de análise, por meio de que deduções engenhosas, ele se posicionava no meio da escuridão mais densa. Dez dias antes da prisão do dono da mercearia Jorisse, ele indicava o partido que se podia tirar do famoso guarda-chuva. Da mesma forma, afirmava desde o início, em relação ao drama de Saint-Cloud, que o porteiro era o único assassino possível.

Mas o mais curioso era o opúsculo que circulava entre os alunos do liceu, opúsculo assinado por ele, impresso em máquina de escrever e com tiragem de dez exemplares. Tinha como título: *"Arsène Lupin, seu método, em que ele é clássico e em que é original"*. Seguia-se um paralelo entre o humor inglês e a ironia francesa.

Era um estudo aprofundado de cada uma das aventuras de Lupin, em que os processos do ilustre ladrão apareciam com extraordinário relevo, em que era mostrado o próprio mecanismo de seus modos de agir, sua tática muito especial, suas cartas aos jornais, suas ameaças, o anúncio de seus roubos, em suma, todos os artifícios que ele empregava para "cozinhar" a vítima escolhida e colocá-la em tal estado de espírito que ela quase se oferecia ao golpe arquitetado contra ela. E como tudo era realizado, por assim dizer, com seu próprio consentimento.

E era tão justo quanto crítico, tão penetrante, tão vivo, e de uma ironia ao mesmo tempo tão ingênua e tão cruel, que os que riam imediatamente passaram para o seu lado, que a simpatia das multidões se voltou sem transição de Lupin para Isidore Beautrelet. Na luta que se travava entre eles, a vitória do jovem retórico foi proclamada de antemão.

Em todo caso, tanto o senhor Filleul quanto a polícia de Paris pareciam ter ciúmes de reservar-lhe a possibilidade dessa vitória. Por um lado, de fato, não se conseguia estabelecer a identidade do senhor Harlington, nem fornecer prova decisiva de sua filiação ao bando de Lupin. Comparsa ou não, ele se mantinha obstinadamente calado. Além disso, depois de examinar sua caligrafia, ninguém ousava afirmar que ele tinha sido o autor da carta interceptada. Um senhor Harlington, munido de uma mala de viagem e de um grosso talão de cheques, tinha se hospedado no Grand-Hôtel, isso era tudo que se podia dizer.

Por outro lado, em Dieppe, o senhor Filleul repousava sobre as posições que Beautrelet conquistara para ele. Não dava um passo adiante. Em torno do indivíduo que a senhorita de Saint-Véran tomara por Beautrelet, na véspera do crime, o mesmo mistério. As mesmas trevas também sobre tudo o que tinha a ver com o sequestro dos quatro Rubens. O que acontecera com essas pinturas? E o automóvel que os havia levado à noite, que caminho tomara?

Em Luneray, Yerville, Yvetot, tinham sido recolhidas provas da sua passagem, bem como em Caudebec-en-Caux, onde tivera de atravessar o Sena ao amanhecer no ferry a vapor. Mas ao se aprofundar a investigação, soube-se que o referido automóvel era descoberto e que teria sido impossível empilhar nele quatro grandes pinturas sem que os funcionários da balsa os tivessem visto. Muito provavelmente era o mesmo carro, mas ainda assim se colocava a questão: o que havia acontecido com os quatro Rubens?

Tantos problemas que o senhor Filleul deixava sem resposta. Diariamente, seus subordinados vasculhavam o quadrilátero das ruínas. Quase todos os dias, ele vinha dirigir as explorações. Mas daí à descoberta do local onde Lupin agonizava – se a opinião de Beautrelet estivesse correta – daí a descobrir o esconderijo, havia um abismo que o excelente magistrado não parecia de forma alguma preparado para atravessar.

Portanto, era natural que se recorresse a Isidore Beautrelet, pois só ele havia conseguido dissipar as trevas que, ao seu redor, tornavam-se mais intensas e impenetráveis. Por que ele não estava mais interessado no caso? No ponto em que ele o levara, bastava um pequeno esforço para concluir.

A pergunta foi feita a ele por um editor do *Grand Journal*, que se introduziu no liceu Janson com o nome falso de Bernod, correspondente de Beautrelet. Ao que Isidore respondeu muito sabiamente:

– Caro senhor, não há só Lupin neste mundo, não há só histórias de ladrões e detetives, há também essa realidade chamada exame final. Ora, vou prestar minhas provas em julho. Estamos em maio. E não quero falhar. O que meu bom pai diria?

– Mas o que ele diria se você levasse Arsène Lupin à justiça?

– Ora! Há um tempo para todas as coisas. Nos próximos feriados...

– No dia de Pentecostes?

– Sim. Partirei no sábado, 6 de junho, no primeiro trem.

– E na noite desse sábado Arsène Lupin será preso.

– O senhor não me dá um prazo até domingo? – perguntou Beautrelet, rindo.

– Por que essa demora? – retrucou o jornalista num tom mais sério.

Essa confiança inexplicável, nascida recentemente e já tão forte, todos a sentiam em relação ao jovem, embora na realidade os acontecimentos a justificassem apenas até certo ponto. Que importava! Acreditava-se. De seu lado, nada lhe parecia difícil. Esperava-se dele o que se teria podido esperar, no máximo, de algum fenômeno de clarividência e intuição, experiência e habilidade. Dia 6 de junho! Essa data estava estampada em todos os jornais. Em 6 de junho, Isidore Beautrelet pegaria o expresso para Dieppe e, à noite, Arsène Lupin seria preso.

– A menos que daqui até lá ele escape... – objetavam os últimos apoiadores do aventureiro.

– Impossível! Todas as saídas estão vigiadas.

– A menos que ele tenha sucumbido aos ferimentos – retomavam os partidários de Lupin, os quais teriam preferido a morte à captura de seu herói.

E a resposta era imediata:

– Vamos lá, se Lupin estivesse morto, seus cúmplices saberiam, e ele seria vingado – Beautrelet disse.

E chegou o dia 6 de junho. Meia dúzia de jornalistas vigiavam Isidore na estação Saint-Lazare. Dois deles queriam acompanhá-lo em sua viagem. Ele implorou que não o fizessem.

Então partiu sozinho. Sua cabine estava vazia. Bastante cansado de uma série de noites consagradas ao trabalho, ele logo adormeceu profundamente. Em sonho, teve a impressão de que parava em estações diferentes e que as pessoas subiam e desciam do trem. Quando acordou, à vista de Rouen, ainda estava sozinho. Mas, no encosto do banco à sua frente, uma grande folha de papel, fixada por um alfinete ao tecido de cor cinza, se apresentava a seus olhos. Ela continha estas palavras:

Cada um tem seus próprios negócios. Ocupe-se dos seus. Caso contrário, será muito ruim para você.

– Perfeito! – disse ele para si mesmo, esfregando as mãos. – As coisas estão ruins no campo adversário. Essa ameaça é tão estúpida quanto a do pseudococheiro. Que estilo! Pode-se ver que não foi escrita por Lupin.

O trem estava no túnel que precede a velha cidade normanda. Na estação, Isidore deu duas ou três voltas na plataforma para esticar as pernas. Estava prestes a retornar à sua cabine, quando um grito lhe escapou. Ao passar perto da banca de jornais, ele lera distraidamente, na primeira página de uma edição especial do *Journal de Rouen*, essas poucas linhas das quais repentinamente percebeu o assustador significado:

Urgente. – Comunicam-nos por telefone de Dieppe que, esta noite, malfeitores entraram no castelo de Ambrumésy, amarraram e amordaçaram a senhorita de Gesvres e sequestraram a senhorita de Saint-Véran. Traços de sangue foram notados a quinhentos metros do castelo, e nas proximidades encontrou-se uma echarpe também manchada de sangue. Há motivos para temer que a infeliz jovem tenha sido assassinada.

Até Dieppe, Isidore Beautrelet permaneceu imóvel. Curvado, os cotovelos apoiados nos joelhos e as mãos pressionadas contra o rosto, ele refletia. Em Dieppe, alugou um carro. Na entrada de Ambrumésy, encontrou o juiz de instrução, que lhe confirmou a horrível notícia.

– O senhor não sabe de mais nada? – perguntou Beautrelet.

– Nada. Acabo de chegar.

Ao mesmo tempo, o sargento de polícia aproximava-se do senhor Filleul e entregava-lhe um pedaço de papel amarelado, amassado e rasgado, que acabara de pegar não muito longe do local onde o lenço fora encontrado. O senhor Filleul o examinou e o entregou a Isidore Beautrelet, dizendo:

– Isso não vai nos ajudar muito em nossas buscas.

Isidore se virou e revirou o pedaço de papel. Coberto de números, pontos e sinais, oferecia exatamente o desenho que mostramos a seguir:

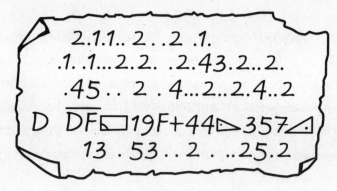

O CADÁVER

Por volta das seis da tarde, terminadas as operações, o senhor Filleul, acompanhado de seu escrivão, senhor Brédoux, esperava o transporte que o levaria de volta a Dieppe. Ele parecia inquieto, nervoso. Por duas vezes, perguntou:

– Não viu o jovem Beautrelet?

– Não vi, senhor juiz.

– Onde diabos ele pode estar? Ele não foi visto durante o dia.

De repente, ele teve uma ideia. Confiou sua pasta a Brédoux, deu a volta ao castelo rapidamente e rumou para as ruínas.

Perto da grande arcada, deitado de bruços no chão forrado com longas agulhas de pinheiro, um dos braços dobrado sob a cabeça, Isidore parecia meio adormecido.

– Que aconteceu, meu jovem? Está dormindo?

– Não estou dormindo. Estou refletindo.

– Isso é hora de refletir? É preciso ver primeiro. É preciso estudar os fatos, procurar as pistas, estabelecer os pontos de referência. É a partir daí que, por meio da reflexão, se coordena tudo isso e se descobre a verdade.

– Sim, eu sei... é o método usual... o correto sem dúvida. Mas eu tenho outro... Reflito primeiro, busco antes de tudo encontrar a ideia geral do caso, se é que posso colocar dessa forma. Então, imagino uma hipótese razoável e lógica, de acordo com essa ideia geral. E é só depois que examino se os fatos estão dispostos a se adaptar à minha hipótese.

– Método esquisito e muito complicado!

– Método seguro, senhor Filleul, enquanto o seu não é.

– Ora vamos, fatos são fatos.

– Com adversários comuns, sim. Mas, enquanto o inimigo tiver alguma astúcia, os fatos são os que ele escolheu. Essas pistas famosas sobre as quais o senhor está construindo sua investigação, ele esteve livre para usá-las como quisesse. E o senhor vê então, quando se trata de um homem como Lupin, aonde isso pode levá-lo, a que erros e a que bobagens! O próprio Sholmes caiu na armadilha.

– Arsène Lupin está morto.

– Que seja. Mas seu bando permanece, e os alunos de tal mestre são eles próprios mestres.

O senhor Filleul pegou Isidore pelo braço e arrastou-o consigo:

– Palavras, meu jovem. Aqui está o que é mais importante. Ouça com atenção. Ganimard, atualmente retido em Paris, só chegará em alguns dias. Por outro lado, o conde de Gesvres telegrafou para Herlock Sholmes, que prometeu ajuda para a próxima semana. Meu jovem, não acha que haveria alguma glória em dizer a essas duas celebridades, no dia da sua chegada: "Mil desculpas, caros senhores, mas não pudemos esperar mais. O trabalho está terminado".

Era impossível alguém confessar sua impotência com mais engenhosidade do que o que fazia aquele bom senhor Filleul. Beautrelet reprimiu um sorriso e, fingindo ter sido iludido, respondeu:

– Admito, senhor juiz de instrução, que não fui assistir à sua investigação agora há pouco esperando que o senhor me comunicasse os resultados. Vejamos, o que o senhor sabe?

– Então... aqui está. Ontem à noite, às 11 horas, os três policiais que o sargento Quevillon tinha deixado de serviço no castelo receberam uma pequena nota do próprio sargento chamando-os a toda pressa para Ouville, onde se encontra seu regimento. Eles montaram a cavalo imediatamente, e quando chegaram lá...

– Descobriram que haviam sido enganados, que a ordem era falsa e que só lhes restava retornar para Ambrumésy.

– Foi o que fizeram, sob a liderança do sargento. Mas sua ausência durou uma hora e meia, e durante esse tempo o crime tinha sido cometido.

– Sob que condições?

– Sob as condições mais simples. Uma escada emprestada dos edifícios da granja foi fixada contra o segundo andar do castelo. Depois, uma vidraça foi cortada, uma janela aberta. Dois homens, munidos de uma lanterna, entraram no quarto da senhorita de Gesvres e a amordaçaram antes que ela tivesse tempo de gritar por socorro. Depois, tendo a amarrado com cordas, abriram com muita delicadeza a porta do quarto onde a senhorita de Saint-Véran dormia. A senhorita de Gesvres ouviu um gemido abafado, depois o som de uma pessoa que se debatia. Um minuto depois, ela viu os dois homens carregando sua prima, também amarrada e amordaçada. Eles passaram por ela e saíram pela janela. Exausta, apavorada, a senhorita de Gesvres desmaiou.

– Mas e os cachorros? O senhor de Gesvres não tinha comprado dois molossos?

– Eles foram encontrados mortos, envenenados.

– Mas por quem? Ninguém conseguia se aproximar deles.

– Mistério. A verdade é que os dois homens atravessaram as ruínas sem incidentes e saíram pela famosa portinhola. Cruzaram o matagal, contornando as antigas pedreiras... Foi a apenas quinhentos metros do castelo, ao pé da árvore chamada o Grande Carvalho, que pararam... e colocaram o seu projeto em prática.

– Por que, se tinham vindo com a intenção de matar a senhorita de Saint-Véran, não o fizeram em seu quarto?

– Não sei. Talvez o incidente que os determinou a fazer isso só tenha ocorrido na saída do castelo. Talvez a jovem tenha conseguido se desamarrar. Então, para mim, a echarpe encontrada tinha sido usada para amarrar seus pulsos. Em todo caso, foi ao pé do Grande Carvalho que atacaram. As evidências que reuni são irrefutáveis...

– Mas o corpo?

– O corpo não foi encontrado, o que, aliás, não deveria nos surpreender muito. O caminho percorrido levou-me, de fato, à igreja de Varengeville, ao antigo cemitério suspenso no alto da falésia. Lá há o precipício... um abismo de mais de cem metros. E, embaixo, os rochedos e o mar. Em um ou dois dias, uma maré mais forte trará o corpo de volta à orla.

– Obviamente, tudo isso é muito simples.

– Sim, é tudo muito simples e não me embaraça. Lupin está morto, seus cúmplices souberam disso e, para se vingarem, tal como haviam escrito, assassinaram a senhorita de Saint-Véran, fatos que nem precisavam ser verificados. Mas... e Lupin?

– Lupin?

– Sim, o que aconteceu com ele? Muito provavelmente, seus cúmplices removeram o cadáver dele ao mesmo tempo que levavam a jovem, mas que prova temos desse sequestro? Nenhuma. Não mais do que sua permanência nas ruínas, não mais do que de sua morte ou de sua vida. E esse é todo o mistério, meu caro Beautrelet. O assassinato da senhorita Raymonde não é um desfecho. Pelo contrário, é uma complicação. O que aconteceu nos últimos dois meses no castelo de Ambrumésy? Se não decifrarmos esse enigma, virão outros que nos deixarão a ver navios.

– Que dia eles virão, esses outros?

– Quarta... Terça, talvez...

Beautrelet pareceu fazer um cálculo, então disse:

– Senhor juiz de instrução, hoje é sábado. Tenho de voltar para o liceu na segunda à noite. Então... Segunda-feira de manhã, se o senhor quiser estar aqui às dez horas, vou tentar revelar-lhe a palavra do enigma.

– Sério, Beautrelet... você acha? Tem certeza ?

– Pelo menos assim espero.

– E agora para onde está indo?

– Vou ver se os fatos estão dispostos a se acomodar à ideia geral que estou começando a discernir.

– E se eles não se acomodarem?

– Pois bem, senhor juiz de instrução, serão eles que estarão errados – disse Beautrelet rindo –, e procurarei outros mais dóceis. Vejo-o na segunda, certo?

– Na segunda.

Poucos minutos depois, o senhor Filleul viajava para Dieppe, enquanto Isidore, munido de uma bicicleta que lhe fora emprestada pelo conde de Gesvres, seguia na estrada de Yerville e de Caudebec-en-Caux.

Havia um detalhe sobre o qual o jovem queria acima de tudo formar uma opinião clara, porque este parecia-lhe ser precisamente o ponto fraco do inimigo. Objetos do tamanho dos quatro Rubens não podem ser escondidos. Eles tinham de estar em algum lugar. Se no momento não havia como encontrá-los, não seria possível descobrir o caminho pelo qual eles tinham desaparecido?

A hipótese de Beautrelet era a seguinte: o automóvel havia levado os quatro quadros, mas antes de chegar a Caudebec eles tinham sido passados para outro automóvel que cruzara o Sena rio acima ou rio abaixo de Caudebec. Rio abaixo, a primeira balsa era a de Quillebeuf, uma passagem movimentada e, portanto, perigosa. Rio acima, havia a balsa de La Mailleraie, uma grande vila isolada, fora de qualquer comunicação.

Por volta da meia-noite, Isidore cruzara as dezoito léguas que o separavam de La Mailleraie e batia na porta de uma hospedaria situada à beira da água. Ele dormiu lá e, pela manhã, questionou os marinheiros da balsa. Eles consultaram o livro de passageiros. Nenhum automóvel passara na quinta-feira 23 de abril.

– Então, uma carruagem? – Beautrelet insinuou. – Uma charrete?

– Também não.

Durante toda a manhã, Isidore procurou se informar. Ia partir para Quillebeuf, quando o rapaz da hospedaria onde tinha dormido lhe disse:

– Naquela manhã, eu voltava dos meus treze dias de férias e vi uma charrete, mas ela não atravessou o rio.

– Como?

– Não. Transferiram sua carga para uma espécie de barco plano, uma barcaça, como eles chamam, que estava atracada no cais.

– E essa charrete, de onde vinha?

– Oh, eu a reconheci bem! Era do Mestre Vatinel, o charreteiro.

– Onde ele mora?

– No povoado de Louvetot.

Beautrelet olhou para seu mapa. O povoado de Louvetot ficava no cruzamento da estrada de Yvetot para Caudebec com um pequeno caminho sinuoso que atravessava a floresta até La Mailleraie!

Só às seis da tarde Isidore conseguiu descobrir numa taberna o Mestre Vatinel, um daqueles velhos normandos astutos, sempre na defensiva, que desconfiam de estranhos, mas que não sabem resistir ao fascínio de uma moeda de ouro e à influência de alguns pequenos copos.

– Bem, senhor, naquela manhã os homens no carro tinham combinado de me encontrar às cinco horas no cruzamento. Eles me deram quatro grandes embrulhos, desse tamanho. Um deles me acompanhou. E carregamos tudo para a barcaça.

– O senhor fala sobre eles como se já os conhecesse.

– É claro que os conhecia! Era a sexta vez que trabalhava para eles.

Isidore estremeceu.

– O senhor diz a sexta vez?... E desde quando?

– Todos os dias antes daquele, diabos! Mas então eram outros volumes. Grandes pedaços de pedra... ou umas menores bem compridas que eles tinham embrulhado e carregavam como se fosse o Santíssimo Sacramento. Ah, naquelas não podíamos tocar... Mas o que tem? Está pálido.

– Não é nada... o calor...

Beautrelet saiu aos tropeções. A alegria e o inesperado da descoberta o atordoavam.

Ele voltou de forma bem tranquila, dormiu à noite no vilarejo de Varengeville, passou, na manhã seguinte, uma hora na prefeitura com o preceptor e voltou ao castelo. Uma carta o esperava lá "aos cuidados do senhor conde de Gesvres". Seu conteúdo era o seguinte:

Segundo aviso. Cale a boca. Se não...

– Ora – ele murmurou –, vou ter de tomar algumas precauções para minha segurança pessoal. Caso contrário, como costumam dizer...

Eram nove horas; ele caminhou entre as ruínas, depois se deitou perto da arcada e fechou os olhos.

– Então... jovem, está feliz com suas buscas?

Era o senhor Filleul que chegava na hora marcada.

– Muito feliz, senhor juiz de instrução.

– O que significa isso?

– Significa que estou pronto para cumprir minha promessa, apesar desta carta que não me estimula muito.

Ele mostrou a carta ao senhor Filleul.

– Ora, bobagens – exclamou este último –, e espero que isso não o impeça...

– De lhe dizer o que sei? Não, senhor juiz de instrução. Eu prometi: vou cumprir. Em dez minutos, saberemos... uma parte da verdade.

– Uma parte?

– Sim, na minha opinião, o esconderijo de Lupin não constitui todo o problema. Mas quanto ao resto, veremos depois.

– Senhor Beautrelet, nada me surpreende de sua parte. Mas como conseguiu descobrir?...

– Oh, bem naturalmente. Há na carta do senhor Harlington ao senhor Etienne de Vaudreix, ou melhor, a Lupin...

– A carta interceptada?

– Sim. Há uma frase que sempre me intrigou. É esta aqui: "Assim que tiver em sua posse os quatro quadros do senhor de Gesvres, envie--os pelo método combinado. O senhor poderá acrescentar o resto, caso tenha conseguido, o que duvido muito".

– De fato, eu me lembro.

– O que era esse resto? Um objeto de arte, uma curiosidade? Fora os Rubens e as tapeçarias, o castelo não oferecia nada de precioso. Joias? São muito poucas e de valor medíocre. Então o quê? E, por outro lado, seria possível admitir que gente como Lupin, de tão prodigiosa habilidade, não tivesse conseguido acrescentar ao envio *esse resto*, que eles obviamente tinham proposto? Tarefa difícil, é provável; excepcional, sim, mas possível, portanto certa, pois Lupin o queria.

– No entanto, ele falhou: nada desapareceu.

– Ele não falhou; algo desapareceu.

– Sim, os Rubens... mas...

– Os Rubens, e mais alguma coisa... Algo que se substituiu por uma coisa idêntica, como foi feito com o Rubens, algo muito mais extraordinário, mais raro e mais precioso que os Rubens.

– O que, então? Você me deixa impaciente.

Andando pelas ruínas, os dois homens tinham se dirigido à portinhola e caminhado ao longo da Chapelle-Dieu. Beautrelet parou.

– Quer mesmo saber, senhor juiz de instrução?

– Sim, quero!

Beautrelet tinha uma bengala na mão, um bastão sólido e nodoso. De repente, com um golpe dessa bengala, ele quebrou uma das estatuetas que adornavam o portal da capela.

– Mas você está louco – exclamou o senhor Filleul, fora de si, e se precipitando em direção aos pedaços da estatueta. Você está louco! Esse velho santo era admirável…

– Admirável! – exclamou Isidore, ao mesmo tempo que rodando o bastão derrubava a Virgem Maria.

O senhor Filleul agarrou-o pela cintura.

– Meu jovem, não vou deixá-lo cometer…

Um rei mago ainda foi pelos ares, depois uma manjedoura com o Menino Jesus…

– Mais um movimento e atiro.

O conde de Gesvres aparecera e engatilhava seu revólver.

Isidore Beautrelet caiu na gargalhada.

– Então, atire, senhor conde… atire, como se estivesse num parque de diversões… Veja… esse sujeito que segura a cabeça com as duas mãos.

E o São João Batista se espatifou.

– Ah! – disse o conde, apontando o revólver –, que profanação!… essas obras-primas!

– Falsas, senhor conde!

– O quê? O que está dizendo? – gritou o senhor Filleul, enquanto desarmava o conde.

– Lixo, papelão.

– Será possível?

– Massa porosa. Vazia! Nada!

O conde se abaixou e pegou um fragmento de uma estatueta.

– Dê uma boa olhada, senhor conde... gesso! Gesso patinado, mofado, esverdeado como pedra velha... mas gesso, moldes de gesso... isso é tudo o que resta de uma obra-prima pura... foi o que fizeram em poucos dias!... foi isso que o senhor Charpenais, o copiador dos Rubens, preparou há um ano.

Ele agarrou o braço do senhor Filleul.

– O que acha, senhor juiz de instrução? É bonito? É enorme? Gigantesco? A capela levada! Uma capela gótica inteira recolhida pedra por pedra! Toda uma população de estatuetas, tornada cativa e substituída por figuras de estuque! Um dos mais magníficos exemplares de uma era incomparável da arte, confiscado! A Chapelle-Dieu, finalmente, roubada! Não é formidável? Ah, senhor juiz de instrução, que gênio esse homem é!

– Está se empolgando, senhor Beautrelet.

– A gente nunca se empolga, senhor, quando se trata de tais indivíduos. Qualquer coisa que está acima da média vale a pena admirar. E esse homem paira acima de tudo. Há nesse voo uma riqueza de concepção, uma força, um poder, uma destreza e uma desenvoltura que me dão arrepios.

– Pena que ele esteja morto – zombou o senhor Filleul –, caso contrário, teria acabado por roubar as torres de Notre-Dame.

Isidore encolheu os ombros.

– Não ria, senhor. Mesmo morto, ele o perturba.

– Não o nego, senhor Beautrelet, e admito que não é sem certa emoção que me preparo para contemplá-lo... Isso se, no entanto, seus camaradas não tiverem sumido com seu cadáver.

– Pode-se admitir, então – observou o conde de Gesvres –, que tenha sido ele ele que minha sobrinha feriu.

– Foi ele, senhor conde – afirmou Beautrelet –, foi ele quem caiu nas ruínas sob a bala disparada pela senhorita de Saint-Véran; foi ele quem ela viu se levantar, e quem caiu de novo, e se arrastou até a grande arcada para se levantar por uma última vez. Por um milagre, cuja explicação lhes darei em breve, ele chegou a esse refúgio de pedra que viria a ser seu túmulo.

E com sua bengala atingiu a soleira da capela.

– Hein? O quê? – gritou o senhor Filleul, espantado... – Seu túmulo?... Você acha que esse esconderijo impenetrável...

– Encontra-se aqui...– ele repetiu.

– Mas nós procuramos.

– Procuraram mal.

– Não há esconderijo aqui – protestou o senhor de Gesvres. – Eu conheço a capela.

– Sim, senhor conde, existe. Vá até a prefeitura de Varengeville, onde estão recolhidos todos os papéis que estavam na antiga paróquia de Ambrumésy, e ficará sabendo, por esses papéis datados do século XVIII, que havia uma cripta sob a capela. Essa cripta data, sem dúvida, da capela românica, sobre cuja localização esta aqui foi construída.

– Mas como Lupin teria sabido desse detalhe? – perguntou o senhor Filleul.

– De uma forma muito simples, pelas obras que teve de realizar para remover a capela.

– Vamos, vamos, Beautrelet, está exagerando... Ele não removeu a capela inteira. Veja, nenhuma dessas pedras fundamentais foi tocada.

– Obviamente, ele só moldou e só levou o que tinha valor artístico, as pedras trabalhadas, as esculturas, as estatuetas, todo o tesouro das colunetas e das ogivas cinzeladas. Ele não se ocupou da base da construção. As fundações permanecem.

– Consequentemente, senhor Beautrelet, Lupin não conseguiu entrar na cripta.

Nesse momento, o senhor de Gesvres, que havia chamado um de seus criados, voltava com a chave da capela. Ele abriu a porta. Os três homens entraram.

Após um momento de análise, Beautrelet retomou:

– As lajes do terreno, é claro, foram respeitadas. Mas é fácil perceber que o altar-mor nada mais é que um molde. Porém, geralmente, a escada que desce para as criptas abre-se em frente ao altar-mor e passa por baixo dele.

– E o que conclui disso?

– Concluo que foi enquanto trabalhava lá que Lupin encontrou a cripta.

Com a ajuda de uma picareta que o conde mandou buscar, Beautrelet atacou o altar. Os pedaços de gesso saltaram para todo lado.

– Caramba! – murmurou o senhor Filleul –, mal posso esperar para saber...

– Eu também, eu também – disse Beautrelet, cujo rosto estava pálido de angústia.

Ele acelerou os golpes. E de repente, a picareta, que até então não havia encontrado resistência, atingiu um material mais duro e ricocheteou. Houve um som de desmoronamento e o que restou do altar afundou no vazio seguindo o bloco de pedra que a picareta havia atingido. Beautrelet se inclinou para a frente. Acendeu um fósforo e o passou através do vazio:

– A escada começa mais à frente do que eu esperava, quase sob as lajes da entrada. Consigo ver os últimos degraus.

– É profundo?

– Três ou quatro metros... Os degraus são muito altos... e faltam alguns.

– Não é provável – disse o senhor Filleul –, que durante a curta ausência dos três policiais, quando a senhorita de Saint-Véran estava sendo sequestrada, não é provável que os cúmplices tenham tido tempo de retirar o cadáver deste subterrâneo. Aliás, por que teriam feito isso, afinal? Não, para mim, ele está lá.

Um criado trouxe-lhes uma escada que Beautrelet introduziu na escavação. Tateando, apoiou-a nos escombros caídos. Em seguida, segurando-a vigorosamente, disse:

– Quer descer, senhor Filleul?

O juiz de instrução, munido de uma vela, aventurou-se. O conde de Gesvres o seguiu. Beautrelet, por sua vez, pôs o pé no primeiro degrau.

Havia dezoito que ele contou mecanicamente enquanto seus olhos examinavam a cripta onde a luz da vela lutava contra a escuridão pesada. Mas, embaixo, um odor violento e imundo o atingiu, um daqueles odores de podridão cuja lembrança provoca vômitos. O cheiro fez seu estômago revirar.

E de repente uma mão trêmula agarrou-lhe o ombro.

– Então? O que está havendo?

– Beautrelet – gaguejou o senhor Filleul.

Ele não conseguia falar, dominado pelo medo.

– Vamos, senhor juiz de instrução, recomponha-se...

– Beautrelet... ele está lá...

– Hein?

– Sim... Havia algo sob a pedra grande que se soltou do altar... eu empurrei a pedra... e toquei... Oh, nunca vou me esquecer disso...

– Onde ele está?

– Deste lado... Está sentindo esse cheiro?... Olhe... veja...

Ele pegara a vela e projetava sua luz em uma forma caída no chão.

– Oh! – Beautrelet exclamou horrorizado.

Os três homens inclinaram-se. Seminu, o cadáver jazia magro, assustador. A carne esverdeada, em tons de cera macia, aparecia em alguns lugares, entre as roupas esfarrapadas. Mas o mais terrível, o que arrancou um grito de terror do jovem, era a cabeça, a cabeça que o bloco de pedra acabara de esmagar, a cabeça informe, uma massa hedionda em que nada mais se distinguia... E, quando seus olhos se acostumaram com a escuridão, viram que toda aquela carne fervilhava abominavelmente...

Em quatro passadas, Beautrelet subiu a escada e fugiu para a luz do dia, para o ar livre. O senhor Filleul o encontrou novamente deitado de bruços, as mãos coladas ao rosto. Ele lhe disse:

– Meus cumprimentos, Beautrelet. Além de encontrar o esconderijo, há dois pontos que me permitiram verificar a exatidão de suas afirmações. Em primeiro lugar, o homem em que a senhorita de Saint-Véran atirou foi Arsène Lupin, como você tinha dito desde o início. Da mesma forma, era de fato sob o nome de Etienne de Vaudreix que ele vivia em Paris. A roupa está marcada com as iniciais E.V. Parece-me que essa prova é suficiente, não é verdade?

Isidore não se mexia.

– O senhor conde foi procurar o doutor Jouet, que fará as verificações de praxe. Para mim, a morte data de pelo menos oito dias. O estado de decomposição do cadáver... Mas você não parece estar ouvindo?

– Sim, sim.

– O que estou dizendo é apoiado por razões convincentes. Assim, por exemplo...

O senhor Filleul continuou sua demonstração, sem obter mais sinais evidentes de atenção. Mas o retorno do senhor de Gesvres interrompeu seu monólogo.

O conde voltava com duas cartas. Uma anunciava a chegada de Herlock Sholmes para o dia seguinte.

– Maravilha – exclamou o senhor Filleul, bastante alegre. – O inspetor Ganimard também vai chegar. Será ótimo.

ARSÈNE LUPIN E A AGULHA OCA

– Esta outra carta é sua, senhor juiz de instrução – disse o conde.

– Isso vai cada vez melhor – retomou o senhor Filleul, depois de ter lido. – Esses senhores, decididamente, não terão muito o que fazer. Beautrelet, fui avisado de Dieppe que pescadores de camarões encontraram esta manhã nos rochedos o cadáver de uma jovem.

Beautrelet teve um sobressalto:

– O que está dizendo? O cadáver...

– De uma jovem... um cadáver terrivelmente mutilado, especifica-se, e do qual não seria possível estabelecer a identidade, se não tivesse no braço direito uma pequena pulseira de ouro, muito fina, que está incrustada na pele inchada. Ora, a senhorita de Saint-Véran usava uma pulseira de ouro no braço direito. Obviamente, trata-se de sua infeliz sobrinha, senhor conde, que o mar terá levado até ali. O que acha, Beautrelet?

– Nada... nada... ou melhor, sim... tudo está ligado, como o senhor vê, não falta nada na minha argumentação. Todos os fatos, um a um, mesmo os mais contraditórios, mesmo os mais desconcertantes, sustentam a hipótese que imaginei desde o primeiro momento.

– Não estou entendendo.

– O senhor logo entenderá. Lembre-se de que lhe prometi toda a verdade.

– Mas me parece...

– Um pouco de paciência! Até agora o senhor não teve o que reclamar de mim. O tempo está bom. Dê um passeio, almoce no castelo, fume seu cachimbo. Quanto a mim, estarei de volta lá pelas quatro ou cinco horas. Quanto ao meu liceu, tanto pior, vou pegar o trem da meia-noite.

Eles haviam chegado às dependências na parte de trás do castelo. Beautrelet montou em sua bicicleta e foi embora.

Em Dieppe, parou na redação do jornal *La Vigie*, onde pediu que lhe mostrassem as edições dos últimos quinze dias. Em seguida, partiu para o lugarejo de Envermeu, localizado a dez quilômetros de distância. Ali, conversou com o prefeito, com o padre, com o guarda-florestal. Soaram três horas no sino da igreja. Sua investigação estava encerrada.

Voltou cantando de alegria. Suas pernas impulsionavam alternadamente os pedais, num ritmo forte e constante. Seu peito se abria amplamente para o ar fresco que soprava do mar. E às vezes se via lançando clamores de triunfo aos céus, pensando no objetivo que perseguia e em seus felizes esforços.

Ambrumésy surgiu. Ele se deixou levar a toda velocidade na ladeira que precede o castelo. As árvores ao longo do caminho, em uma fileira quádrupla secular, pareciam correr ao seu encontro e imediatamente desaparecer atrás dele. E, de repente, ele soltou um grito. Tinha avistado uma corda se estendendo de uma árvore à outra, atravessada na estrada.

A bicicleta, ao chocar-se, parou de imediato. Ele foi atirado para a frente com uma violência incrível e teve a impressão de que apenas um acaso, um acaso milagroso, o fizera evitar um amontoado de pedras onde logicamente sua cabeça teria ido se quebrar.

Ficou desacordado por alguns segundos. Então, todo machucado, com os joelhos arranhados, examinou o local. Um pequeno bosque estendia-se à direita, por onde, sem dúvida alguma, o agressor havia fugido. Beautrelet desamarrou a corda. Na árvore à esquerda, em torno da qual ela tinha sido amarrada, havia um pequeno pedaço de papel preso com um barbante. Ele o desdobrou e leu:

Terceiro e último aviso.

Regressou ao castelo, fez algumas perguntas aos criados e juntou-se ao juiz de instrução numa sala do térreo, na extremidade da ala direita, onde o senhor Filleul costumava ficar durante seu trabalho. O senhor Filleul estava escrevendo, seu escrivão sentado à sua frente. A um sinal, o escrivão saiu e o juiz exclamou:

– Mas o que há, senhor Beautrelet? Suas mãos estão sangrando.

– Não é nada, não é nada – disse o jovem... – Uma simples queda causada por essa corda que esticaram na frente da minha bicicleta. Peço apenas que observe que a dita corda vem do castelo. Há pouco menos de vinte minutos ela servia para estender a roupa, perto da lavanderia.

– Seria possível?

– Senhor, é aqui que sou vigiado por alguém que está no coração do lugar, que me vê, que me ouve e que, minuto a minuto, testemunha minhas ações e conhece minhas intenções.

– Acredita nisso?

– Tenho certeza. Cabe ao senhor descobrir, e não lhe será difícil fazer isso. Quanto a mim, quero terminar e dar-lhes as explicações prometidas. Andei mais rápido que nossos adversários esperavam e estou convencido de que, por sua vez, eles vão agir com vigor. O cerco se aperta ao meu redor. O perigo se aproxima, tenho um pressentimento.

– Ora, vamos, Beautrelet...

– Bem, veremos. Por enquanto, vamos nos apressar. E, primeiro, uma pergunta sobre um ponto que quero descartar imediatamente. Não contou a ninguém sobre esse documento que o sargento Quevillon recolheu e lhe entregou na minha presença?

– Bem, não, ninguém. Mas você atribui algum valor a isso?

– Um grande valor. É uma ideia que tenho, uma ideia que, de resto, admito, não se baseia em nenhuma prova porque, até agora, não consegui decifrar esse documento. Além disso, estou falando sobre ele... para não voltar ao assunto.

Beautrelet pousou a mão sobre a do senhor Filleul, e em voz baixa:

– Não fale... estamos sendo ouvidos... lá fora...

O cascalho rangeu. Beautrelet correu para a janela e se inclinou para a frente.

– Não há mais ninguém... Mas a platibanda foi pisoteada... Nós facilmente vamos distinguir as pegadas.

Ele fechou a janela e veio se sentar.

– Veja, senhor juiz de instrução, o inimigo nem está mais tomando precauções... Não tem mais tempo para isso... Também ele sente que o tempo está se esgotando. Então vamos nos apressar e falar, já que eles não querem que eu fale.

Ele colocou o documento na mesa e o segurou aberto.

– Em primeiro lugar, uma observação. Existem neste papel, além dos pontos, apenas números. E, nas três primeiras linhas e na quinta, as únicas com as quais temos de lidar, porque a quarta parece ser de uma natureza totalmente diferente, nenhum desses números é maior que 5. Portanto, temos uma boa chance de que cada um desses números represente uma das cinco vogais, e em ordem alfabética. Vamos anotar o resultado. Ele escreveu em uma folha separada:

e. a.a..e..e.a.

.a.. a...e.e..e. oi. e.. e.

.ou..e.o...e..e.o..e

ai.ui..e..eu.e

Depois, continuou:

– Como pode ver, isso não nos ajuda muito. A chave é ao mesmo tempo muito fácil... já que nos contentamos em substituir as vogais por números e as consoantes por pontos... e muito difícil, senão impossível, já que não se deram ao trabalho de complicar mais o problema.

– Na verdade, é suficientemente obscuro.

– Vamos tentar esclarecer. A segunda linha é dividida em duas partes, e a segunda parte é apresentada de tal maneira que é muito provável que forme uma palavra. Se tentarmos agora substituir os pontos intermediários por consoantes, vamos concluir, por tentativa e erro, que as únicas consoantes que podem servir logicamente como suporte para vogais podem produzir também logicamente apenas uma palavra, uma única palavra: "demoiselles" [senhoritas].

– Seriam então a senhorita de Gesvres e a senhorita de Saint-Véran?

– Com toda certeza.

– E você não consegue ver nada além disso?

– Sim. Ainda noto uma quebra no meio da última linha, e se eu fizer o mesmo trabalho no início da linha, vejo logo que entre os dois ditongos "ai" e "ui", a única consoante que pode substituir o ponto é um *g*, e que, quando formei o início dessa palavra *"aigui"*, foi natural e essencial que eu chegasse, com os dois pontos seguintes e o "e" final, à palavra *"aiguille"* [agulha].

– De fato, a palavra agulha se impõe.

– Finalmente, para formar a última palavra, tenho três vogais e três consoantes. Ainda estou tateando, tentando todas as letras uma após a outra e, partindo do princípio de que as duas primeiras letras sejam consoantes, constato que cabem quatro palavras: as palavras *"fleuve"*, *"preuve"*, *"pleure"* e *"creuse"* [rio, prova, chora e oca]. Elimino as três primeiras por não terem nenhuma conexão possível com a palavra "agulha", e me sobra a palavra "oca".

– O que dá "agulha oca". Admito que sua solução parece correta, mas em que ela nos ajuda?

– Em nada – disse Beautrelet pensativo. – Em nada, por enquanto. Mais tarde, veremos. Tenho a ideia de que muitas coisas estão incluídas no enigmático acoplamento dessas duas palavras: "agulha oca". O que me preocupa mais é o material do documento, o papel que foi utilizado... Ainda se fabrica esse tipo de pergaminho um pouco granulado? E também essa cor marfim... E essas dobras... o desgaste dessas quatro dobras... e finalmente, veja, essas marcas de lacre, por trás...

Nesse momento, Beautrelet foi interrompido. Era o escrivão Brédoux que abria a porta e anunciava a chegada repentina do procurador-geral.

O senhor Filleul se levantou.

– O senhor procurador-geral está aqui embaixo?

– Não, senhor juiz de instrução. Ele não saiu do seu veículo. Está passando e pede que o senhor vá encontrá-lo na frente do portão. Só quer lhe dar uma palavrinha.

– Estranho – murmurou o senhor Filleul. – Enfim... vamos ver. Beautrelet, com licença, já volto.

Ele saiu. Ouviram-se os seus passos se afastando. Em seguida, o escrivão fechou a porta, girou a chave e colocou-a no bolso.

– Que é isso? – exclamou Beautrelet surpreso, o que está fazendo? Por que nos trancar?

– Será melhor para conversarmos – respondeu Brédoux.

Beautrelet correu em direção à outra porta, que dava para o cômodo vizinho. Ele tinha entendido. O cúmplice era Brédoux, o próprio escrivão do juiz de instrução!

Brédoux zombou:

– Não esfole os dedos, meu jovem amigo, tenho também a chave dessa porta.

– Resta a janela – gritou Beautrelet.

– Tarde demais – disse Brédoux, parado em frente à vidraça, com o revólver na mão.

Todas as saídas estavam bloqueadas. Não havia mais nada a fazer, a não ser se defender do inimigo que se desmascarava com uma audácia brutal. Isidore, oprimido por um sentimento até então desconhecido de angústia, cruzou os braços.

– Bom – resmungou o escrivão –, agora sejamos breves.

Puxou o relógio.

– Esse bravo senhor Filleul vai caminhar até o portão. Ali, não há ninguém, é claro, muito menos o procurador. Então ele vai voltar. Isso nos dá cerca de quatro minutos. Preciso de um para escapar por esta janela, passar pela portinhola das ruínas e pular na motocicleta que está me esperando. Restam então três minutos. Isso basta.

Era um ser estranho, disforme, que equilibrava sobre pernas muito compridas e muito frágeis um tronco enorme, redondo como o corpo de uma aranha e dotado de braços imensos. O rosto ossudo, a testa pequena e baixa, o nariz aquilino, indicavam a obstinação um tanto tacanha do personagem.

Beautrelet cambaleou, sentindo as pernas moles. Teve de se sentar.

– Diga. O que quer?

– O papel. Há três dias que o procuro.

– Não o tenho.

– Está mentindo. Quando entrei, eu o vi colocá-lo na carteira.

– E depois?

– E depois? Depois você se comprometerá a permanecer muito sensato. Você está nos irritando. Deixe-nos em paz e cuide da sua vida. Estamos no limite de nossa paciência.

Ele tinha dado um passo à frente, a arma ainda apontada para o jovem, e falava de forma contida, martelando suas sílabas, enfatizando-as com incrível energia. O olhar era duro, o sorriso cruel. Beautrelet sentiu um calafrio. Era a primeira vez que experimentava a sensação do perigo. E que perigo! Sentia-se diante de um inimigo implacável, de uma força cega e irresistível.

– E depois? – disse ele, com a voz estrangulada.

– E depois? Nada… Você estará livre…

Silêncio. Brédoux continuou:

– Só resta um minuto. Você tem de decidir. Vamos, meu rapaz, sem tolices... Somos os mais fortes, sempre e em todo lugar... Rápido, o papel...

Isidore não reagia, lívido, apavorado, dono de si mesmo no entanto, e com o cérebro lúcido, apesar do colapso de seus nervos. A vinte centímetros de seus olhos, o pequeno buraco negro do cano do revólver se abria. O dedo recurvado pesava visivelmente no gatilho. Bastaria um leve esforço...

– O papel – repetiu Brédoux. – Se não...

– Aqui está – disse Beautrelet.

Tirou a carteira do bolso e estendeu-a ao escrivão.

– Perfeito! Somos razoáveis. Definitivamente, é possível fazer alguma coisa com você... Um pouco estranho, mas de bom senso. Vou falar a respeito com meus camaradas. E agora estou indo. Adeus!

Guardou o revólver e girou o trinco da janela. Um barulho ecoou no corredor.

– Adeus – ele disse, de novo. – Bem na hora.

Mas uma ideia o deteve. Com um gesto, verificou a carteira.

– Raios... – exclamou rangendo os dentes. – O papel não está aqui... Você me enganou.

Ele saltou para dentro do cômodo. Dois tiros soaram. Isidore, por sua vez, havia pego sua pistola e estava atirando.

– Errou, meu jovem – gritou Brédoux. – Sua mão está tremendo... Você tem medo...

Eles se agarraram e rolaram pelo chão. Alguém batia insistentemente na porta.

Isidore fraquejou, sendo imediatamente dominado pelo adversário. Era o fim. Uma mão se ergueu, armada com uma faca, e abateu-se sobre ele. Uma dor violenta lhe queimou o ombro. Ele não mais resistiu.

Teve a impressão de que vasculhavam seu bolso interno do casaco e pegavam o documento. Então, através do véu de suas pálpebras semicerradas, ele adivinhou o homem caminhando pelo parapeito da janela...

Os mesmos jornais que, na manhã seguinte, relatavam os últimos episódios ocorridos no castelo de Ambrumésy, as falsificações da capela, a descoberta dos cadáveres de Arsène Lupin e de Raymonde e, finalmente, o assassinato de Beautrelet por Brédoux, escrivão do juiz de instrução, os mesmos jornais anunciavam as duas notícias seguintes:

O desaparecimento de Ganimard e o sequestro, em plena luz do dia, no centro de Londres, enquanto ia apanhar o comboio para Dover, de Herlock Sholmes.

Assim, portanto, o bando de Lupin, por um momento desorganizado pela extraordinária engenhosidade de um garoto de dezessete anos, retomava a ofensiva, e ao primeiro golpe, em todos os lugares e em todos os pontos, continuava vitorioso. Os dois grandes adversários de Lupin, Sholmes e Ganimard, estavam eliminados. Beautrelet, fora de combate. Não havia mais ninguém capaz de lutar contra tais inimigos.

FACE A FACE

Uma noite, seis semanas depois, eu tinha dado folga ao meu criado. Era véspera do 14 de Julho. Fazia um calor tempestuoso, e a ideia de sair não me agradava muito. Com as janelas do balcão abertas, a lâmpada de trabalho acesa, sentei-me numa poltrona e, como ainda não tinha lido os jornais, resolvi dar uma olhada neles. Claro que se falava de Arsène Lupin. Desde a tentativa de homicídio de que o pobre Isidore Beautrelet fora vítima, não se passara um dia sem que se discutisse o caso Ambrumésy. Uma coluna diária lhe era dedicada. Nunca a opinião pública ficara tão entusiasmada com uma tal série de eventos precipitados, lances teatrais inesperados e desconcertantes. O senhor Filleul que, decididamente, aceitava, com meritória boa-fé, seu papel de subordinado, tinha confidenciado a seus entrevistadores as façanhas do seu jovem conselheiro durante os três dias memoráveis, de modo que era possível entregar-se às mais temerárias suposições.

As pessoas não se privavam disso. Especialistas e técnicos em crimes, romancistas e dramaturgos, magistrados e ex-chefes da Segurança, detetives famosos aposentados e candidatos a Herlock Sholmes em formação, cada um tinha sua teoria e a disseminava em copiosos artigos. Retomavam e concluíam a investigação. E tudo isso pela palavra de um jovem, Isidore Beautrelet, estudante de retórica no liceu Janson-de-Sailly.

Porque de fato, era necessário dizer, todos possuíam os elementos completos da verdade. O mistério... em que consistia? Conhecia-se o esconderijo onde se refugiara Arsène Lupin e onde morrera, e quanto a isso não havia dúvidas: o doutor Delattre, que sempre se refugiava no segredo profissional e que se recusava a dar qualquer depoimento, no entanto confessara a amigos íntimos – cujo primeiro cuidado foi falar – que realmente tinha sido para uma cripta que ele fora levado, junto a um homem ferido que seus cúmplices lhe apresentaram sob o nome de Arsène Lupin. E como, nessa mesma cripta, se havia encontrado o cadáver de Etienne de Vaudreix, que era de fato Arsène Lupin, como a investigação provara, a identidade de Arsène Lupin e do ferido recebia ali mais uma comprovação.

Então, com Lupin morto, o cadáver da senhorita de Saint-Véran reconhecido graças à pulseira que ela usava, o drama acabara.

Mas não acabara. Não acabara para ninguém, já que Beautrelet havia dito o contrário. Não se sabia em que aspecto não tinha acabado, mas, segundo a palavra do jovem, o mistério permanecia intacto. O testemunho da realidade não prevalecia contra a afirmação de um Beautrelet. Havia algo que não se sabia, e esse algo, não se tinha dúvidas de que ele seria capaz de explicar vitoriosamente.

Também com que ansiedade se esperavam, no início, os boletins de saúde publicados pelos médicos de Dieppe aos quais o conde confiara o paciente! Que desolação, durante os primeiros dias, quando se pensou que sua vida corria perigo! E que entusiasmo na manhã em que os jornais anunciaram que nada mais havia a temer! Os menores detalhes empolgavam a multidão. As pessoas se comoviam ao vê-lo ser cuidado por seu velho pai, a quem uma mensagem havia convocado às pressas, e admiraram a devoção da senhorita de Gesvres, que passou noites à cabeceira do jovem ferido.

Depois, foi uma recuperação rápida e com muita alegria. Enfim, seria possível saber! Saber o que Beautrelet prometera revelar ao senhor Filleul e as últimas palavras que a faca do criminoso o haviam impedido de proferir! E se saberia também tudo que, fora do próprio drama, permanecia impenetrável ou inacessível aos esforços da justiça.

Com Beautrelet livre, curado de sua ferida, se teria alguma certeza sobre o senhor Harlington, o enigmático cúmplice de Arsène Lupin, que continuava detido na prisão de La Santé. Seria possível saber o que havia acontecido com o escrivão Brédoux depois do crime, aquele outro cúmplice cuja audácia fora verdadeiramente assustadora.

Com Beautrelet livre, seria possível ter uma ideia precisa do desaparecimento de Ganimard e do sequestro de Sholmes. Como dois ataques desse tipo podiam ter acontecido? Os detetives ingleses, assim como seus colegas na França, não tinham nenhum indício a esse respeito. No domingo de Pentecostes, Ganimard não havia voltado para casa, nem na segunda-feira, nem tampouco durante seis semanas.

Em Londres, na segunda-feira de Pentecostes, às quatro da tarde, Herlock Sholmes pegava um cabriolé para ir à estação. Assim que subiu, tentou descer, provavelmente avisado do perigo. Mas dois indivíduos subiram no veículo à direita e à esquerda, derrubaram-no e seguraram-no entre eles, ou melhor, sob eles, dado o tamanho reduzido do veículo. E isso diante de dez testemunhas, que não tiveram tempo de intervir. O cabriolé fugiu a galope. E depois? Depois, nada. Não se sabia de nada.

E talvez também, por Beautrelet, se teria a explicação completa do documento, daquele papel misterioso ao qual o escrivão Brédoux atribuía importância suficiente para o tomar, a golpes de faca, daquele que o possuía. "O enigma da Agulha Oca", como o chamavam os inúmeros Édipos que, debruçados sobre os números e os pontos, procuravam encontrar neles um sentido... A Agulha Oca! Associação desconcertante de duas palavras, pergunta incompreensível colocada por aquele pedaço de papel do qual até mesmo a origem era desconhecida! Era uma expressão insignificante, o enigma de um estudante que mancha com tinta o canto de uma folha? Ou seriam duas palavras mágicas pelas quais toda a grande aventura do aventureiro Lupin adquiria seu verdadeiro significado? Não se sabia de nada.

Logo se saberia. Havia vários dias, os jornais anunciavam a chegada de Beautrelet. A luta estava prestes a recomeçar, e, dessa vez, implacável por parte do jovem que estava morrendo de vontade de ter sua revanche.

E justamente seu nome, em letras grandes, chamou-me a atenção. *Le Grand Journal* escreveu a seguinte nota:

> *Conseguimos com o senhor Isidore Beautrelet que ele reservasse para nós a primeira de suas revelações. Amanhã, quarta-feira, antes mesmo que a justiça seja informada,* Le Grand Journal *publicará toda a verdade sobre o drama de Ambrumésy.*

– Isso promete, hein? Que acha, meu caro?

Dei um pulo na poltrona. Havia alguém perto de mim na cadeira ao lado que eu não conhecia.

Eu me levantei e procurei por uma arma. Mas, como sua atitude parecia totalmente inofensiva, eu me contive e me aproximei dele.

Era um jovem de rosto enérgico, longos cabelos loiros e cuja barba, um pouco ruiva, dividia-se em duas pontas curtas. Sua vestimenta lembrava o traje sóbrio de um sacerdote inglês e, além disso, toda a sua pessoa tinha algo de austero e grave que inspirava respeito.

– Quem é o senhor? – perguntei a ele.

E, como ele não respondesse, repeti:

– Quem é o senhor? Como entrou aqui? O que veio fazer?

Ele olhou para mim e disse:

– Não me reconhece?

– Não... não!

– Ah, é realmente curioso... Pense bem... um de seus amigos... um amigo de um tipo um tanto especial...

Agarrei seu braço vivamente:

– Está mentindo, está mentindo! Você não é quem diz que é... Isso não é verdade...

– Então por que pensa neste e não em um outro? – disse ele rindo.

Ah, aquela risada! Aquela risada jovem e clara, cuja ironia engraçada tantas vezes me divertira!... Tive um arrepio. Era possível?

– Não, não, protestei com uma espécie de terror... Não pode ser...

– Não pode ser eu, porque estou morto, hein, e você não acredita em fantasmas?

Ele riu novamente.

– Acaso sou um daqueles que morrem? Morrer assim, de uma bala disparada pelas costas por uma jovem! Realmente, é errado me julgar! Como se eu fosse consentir com tal fim!

– Então é você! – gaguejei, ainda incrédulo, e bastante emocionado. – Não consigo reconhecê-lo...

– Então – disse ele alegremente –, estou tranquilo. Se o único homem a quem me mostrei em meu verdadeiro aspecto não me reconhece hoje, qualquer um que me veja agora como estou também não me reconhecerá quando me vir em meu aspecto real... se é que tenho um aspecto real.

Eu reconhecia sua voz, agora que ele não mudava mais o seu timbre, e eu também reconhecia seus olhos, e a expressão de seu rosto, e toda sua atitude, e seu próprio ser, através da aparência que ele assumira para si mesmo.

– Arsène Lupin – murmurei.

– Sim, Arsène Lupin – gritou ele, levantando-se. – O único e verdadeiro Lupin, de retorno do reino das sombras, pois parece que agonizei e faleci em uma cripta. Arsène Lupin vivendo plenamente sua vida, agindo com toda a sua vontade, feliz e livre, e mais que nunca disposto a desfrutar dessa feliz independência em um mundo onde até agora encontrou apenas favores e privilégios.

Foi a minha vez de rir.

– Vamos, é bem você, e mais alegre que no dia em que tive o prazer de vê-lo no ano passado... Eu o cumprimento por isso.

Eu estava me referindo à sua última visita, uma visita que se seguiu à famosa aventura do diadema[2], seu casamento desfeito, sua fuga com Sonia Krichnoff e a morte horrível da jovem russa. Naquele dia, tinha visto um Arsène Lupin que não conhecia, fraco, abatido, os olhos cansados de chorar, em busca de um pouco de simpatia e ternura.

– Cale-se – disse ele –, o passado está longe.

– Foi há um ano – observei.

– Faz dez anos – afirmou ele. – Os anos de Arsène Lupin equivalem a dez dos demais.

Não insisti e, mudando de assunto:

– Como foi que entrou?

– Meu Deus, como todo mundo, pela porta. Aí, sem ver ninguém, atravessei a sala, segui pelo balcão e aqui estou.

– Sim, mas a chave da porta?

– Não há porta para mim, você sabe disso. Eu precisava do seu apartamento, entrei.

---

[2] *Arsène Lupin*, peça em quatro atos. (N.T.)

– Às suas ordens. Devo deixá-lo?

– Oh, de forma alguma, você não será demais. Posso até lhe dizer que a noite vai ser interessante.

– Está esperando alguém?

– Sim, marquei um encontro aqui às dez horas...

Ele puxou o relógio.

– Dez horas. Se o telegrama chegou, a pessoa não vai demorar...

A campainha tocou no vestíbulo.

– O que eu lhe disse? Não, não se preocupe... Eu mesmo vou.

Com quem, diabos, ele poderia ter marcado um encontro? E a que cena dramática ou burlesca eu iria assistir? Para que o próprio Lupin a considerasse digna de interesse, a situação tinha de ser excepcional.

Depois de um momento, ele voltou e ficou de lado junto a um jovem, magro, alto e muito pálido.

Sem dizer uma palavra, com certa solenidade nos gestos que me incomodava, Lupin acendeu todas as lâmpadas elétricas. A sala ficou inundada de luz. Então os dois homens se entreolharam, profundamente, como se, com todo o esforço de seus olhos ardentes, estivessem tentando se penetrar mutuamente. E era uma visão impressionante vê-los assim, sérios e silenciosos. Mas quem poderia ser aquele recém-chegado?

Quando eu estava prestes a adivinhar, pela semelhança que ele aparentava com uma fotografia publicada recentemente, Lupin se voltou para mim:

– Caro amigo, apresento-lhe o senhor Isidore Beautrelet.

E imediatamente, dirigindo-se ao jovem:

– Devo agradecer-lhe, senhor Beautrelet, em primeiro lugar por ter gentilmente, diante de uma carta minha, adiado suas revelações para depois desta conversa, e em seguida por me conceder essa entrevista com tão boa vontade.

Beautrelet sorriu.

– Peço-lhe que observe que a minha boa vontade consiste sobretudo em obedecer às suas ordens. A ameaça que me fazia na carta em questão era ainda mais peremptória por não ter sido dirigida a mim, mas por visar meu pai.

– Bem – respondeu Lupin, rindo –, a gente faz o que pode e tem de usar os meios de ação de que dispõe. Eu sabia por experiência que você era indiferente à sua própria segurança, já que resistiu aos argumentos do senhor Brédoux. Restava seu pai... seu pai a quem ama profundamente... Eu toquei nessa corda.

– E aqui estou – concordou Beautrelet.

Eu os fiz sentar. Eles concordaram, e Lupin, naquele tom de imperceptível ironia que lhe é peculiar:

– De qualquer forma, senhor Beautrelet, se não aceitar meus agradecimentos, pelo menos não rejeitará minhas desculpas.

– Desculpas! E por que, senhor?

– Pela brutalidade empregada pelo senhor Brédoux para consigo.

– Admito que a atitude me surpreendeu. Não era a maneira usual de Lupin fazer as coisas. Uma facada...

– E acrescento que não tenho nada a ver com isso. O senhor Brédoux é um novo recruta. Meus amigos, durante o tempo em que estiveram encarregados de nossos assuntos, acharam que nos seria útil ganharmos para nossa causa o próprio escrivão do juiz que conduzia a investigação.

– Seus amigos não estavam errados.

– Na verdade, Brédoux, que foi encarregado de ficar de olho em você, nos foi precioso. Mas, com aquele ardor próprio de todo neófito que quer se distinguir, ele levou seu zelo um pouco longe e contrariou meus planos, permitindo-se, por iniciativa própria, atacá-lo.

– Oh, esse foi um pequeno infortúnio.

– Não, não, e eu o repreendi severamente. Devo dizer, entretanto, a seu favor, que ele foi pego de surpresa com a velocidade inesperada de sua investigação. Se nos tivesse deixado algumas horas a mais, você teria escapado desse atentado imperdoável.

– E eu teria tido a grande vantagem, sem dúvida, de sofrer o destino dos senhores Ganimard e Sholmes?

– Precisamente – disse Lupin, rindo ainda mais. – E eu não teria conhecido as dores cruéis que seu ferimento me causou. Passei ali, juro-lhe, horas atrozes, e, ainda hoje, sua palidez é um remorso abrasador para mim. Você não tem mais raiva de mim?

– A prova de confiança – respondeu Beautrelet – que o senhor me dá ao se entregar a mim incondicionalmente, já que teria sido tão fácil para mim trazer alguns amigos de Ganimard, essa prova de confiança apaga tudo.

Ele estava falando sério? Admito que fiquei muito confuso. A luta entre aqueles dois homens começava de uma forma que me era impossível entender. Eu que tinha assistido à primeira reunião de Lupin e Sholmes[3], no café da Gare du Nord, não pude deixar de lembrar o olhar altivo dos dois combatentes, o choque assustador de seu orgulho sob a polidez de suas maneiras, os golpes duros que trocavam, suas fintas, sua arrogância.

Aqui, nada parecido, Lupin não havia mudado. A mesma tática e a mesma afabilidade astuta. Mas que adversário estranho ele estava enfrentando! Era mesmo um adversário? Na verdade, ele não tinha nem o tom nem a aparência. Muito calmo, mas com uma calma real, que não mascarava o arrebatamento de um homem que se contém, muito polido, mas sem exageros, sorrindo mas sem zombar, ele oferecia com Arsène Lupin o mais perfeito contraste, de tal forma perfeito que Lupin parecia tão confuso quanto eu.

---

[3] *Arsène Lupin contra Herlock Sholmes.* (N.T.)

Não, com certeza, Lupin não tinha diante daquele adolescente frágil, com as bochechas rosadas de uma moça, com os olhos cândidos e charmosos, não, Lupin não tinha sua autoconfiança de sempre. Por várias vezes, observei nele traços de constrangimento. Ele hesitava, não atacava com franqueza, perdia tempo em frases adocicadas e em frivolidades.

Também parecia que lhe faltava alguma coisa. Ele aparentava estar buscando, esperando. O quê? Que ajuda?

A campainha tocou de novo. Por si mesmo, e rapidamente, ele foi abrir a porta.

Voltou com uma carta.

– Permitem, senhores? – nos perguntou.

Abriu a carta. Continha um telegrama. Ele leu.

Foi como uma transformação nele. Seu rosto se iluminou, seu porte se endireitou e eu vi as veias em sua testa inchando. Era o atleta que eu reencontrava, o dominador, seguro de si, senhor dos acontecimentos e senhor das pessoas. Ele jogou o telegrama sobre a mesa e, acertando-o com um soco, gritou:

– Agora, senhor Beautrelet, é entre nós!

Beautrelet colocou-se em posição de ouvir, e Lupin começou, com voz moderada, mas seca e determinada:

– Vamos jogar as máscaras, não é, e nada de brandura hipócrita. Somos dois inimigos que sabem perfeitamente a que nos agarrar um em relação ao outro, é como inimigos que agimos um em relação ao outro e, portanto, é como inimigos que devemos tratar um ao outro.

– Tratar? – disse Beautrelet, surpreso.

– Sim, tratar. Não disse essa palavra ao acaso e vou repeti-la, não importa o que me custe. E ela me custa muito. É a primeira vez que a emprego perante um adversário. Mas também, digo-lhe de imediato, é a última vez. Aproveite. Só vou sair daqui com uma promessa sua. Caso contrário, é guerra.

Beautrelet parecia cada vez mais surpreso. Ele disse gentilmente:

– Não esperava isso... fala comigo de uma maneira tão esquisita! É tão diferente do que eu pensava!... Sim, eu o imaginava bem diferente... Por que a raiva? As ameaças? Então, somos inimigos porque as circunstâncias nos colocam um contra o outro? Inimigos... por quê?

Lupin pareceu um pouco desconcertado, mas zombou, inclinando-se sobre o jovem:

– Ouça, meu pequeno, não se trata de escolher suas expressões. Trata-se de um fato, um fato certo e indiscutível. Este: em dez anos, não enfrentei um adversário com sua força; com Ganimard, com Herlock Sholmes, eu brinquei como com crianças. Com você, sou obrigado a me defender, direi mais, a recuar. Sim, no momento, você e eu sabemos muito bem que devo me considerar o vencido. Isidore Beautrelet vence Arsène Lupin. Meus planos estão de cabeça para baixo. O que tentei deixar na sombra você trouxe à luz. Você me atrapalha, bloqueia meu caminho. Então... Estou cansado disso... Brédoux lhe disse isso inutilmente. E eu repito, insistindo que leve em consideração. Estou cansado disso.

Beautrelet assentiu.

– Mas afinal o que o senhor quer?

– A paz! Cada um na sua casa, no seu domínio.

– Quer dizer, o senhor, livre para arrombar à vontade, e eu, livre para voltar aos meus estudos.

– Para seus estudos... para o que quiser. Isso não é da minha conta... Mas, você vai me deixar em paz... Eu quero paz...

– Como posso atrapalhar sua paz agora?

Lupin agarrou-lhe a mão com violência.

– Você sabe bem como! Não finja que não sabe. Atualmente, é dono de um segredo ao qual atribuo a mais alta importância. Esse segredo, você tinha o direito de adivinhá-lo, mas não tem nenhum direito de torná-lo público.

– Tem certeza de que sei qual é?

– Você sabe, tenho certeza: dia a dia, hora a hora, acompanhei o andamento do seu pensamento e os progressos de sua investigação. No exato momento em que Brédoux o atacou, você ia dizer tudo. Por preocupação com seu pai, atrasou suas revelações. Mas hoje elas estão prometidas a esse jornal que aqui vemos. O artigo está pronto. Em uma hora, ele será composto. Amanhã estará publicado.

– Isso é certo.

Lupin se levantou e cortando o ar com um gesto:

– Ele não vai ser publicado – gritou ele.

– Ele vai ser – disse Beautrelet, levantando-se de forma brusca.

Finalmente, os dois homens estavam colocados um contra o outro. Tive a impressão de um choque, como se eles tivessem se agarrado. Uma energia repentina inflamava Beautrelet. Dir-se-ia que uma faísca havia acendido nele sentimentos novos, ousadia, amor-próprio, a volúpia da luta, a embriaguez do perigo.

Quanto a Lupin, senti pelo brilho de seu olhar sua alegria de duelista que finalmente encontra a espada do odiado rival.

– O artigo foi entregue?

– Ainda não.

– Você o tem aí… com você?

– Não sou estúpido! Eu já não o teria mais.

– Então?

– Quem o tem é um dos editores, num envelope duplo. Se à meia--noite eu não estiver no jornal, ele mandará compor.

– Ah, o patife – murmurou Lupin –, ele planejou tudo.

Sua raiva estava fervendo, visível, aterrorizante.

Beautrelet zombou, por sua vez, gozador e inebriado por seu triunfo.

– Cale a boca, fedelho – gritou Lupin. – Não sabe quem sou? E que se eu quisesse… Caramba, ele ousa rir!

Um grande silêncio caiu entre eles. Então Lupin deu um passo à frente e, com a voz contida, os olhos fixos nos de Beautrelet:

– Você vai correr para o *Grand Journal*...

– Não.

– Vai rasgar seu artigo.

– Não.

– Vai ver o editor.

– Não.

– Dirá a ele que se enganou.

– Não.

– E vai escrever outro artigo, no qual vai dar, para o caso Ambrumésy, a versão oficial, aquela que todos aceitaram.

– Não.

Lupin agarrou uma régua de ferro que estava na minha mesa e a quebrou sem esforço. Sua palidez era assustadora. Ele enxugou as gotas de suor que brotavam de sua testa. Ele que nunca conhecera resistência a suas vontades, enlouquecia com a teimosia daquele jovem.

Colocou as mãos no ombro de Beautrelet e gritou:

– Você fará tudo isso, Beautrelet, dirá que suas últimas descobertas o convenceram de minha morte, que não há a menor dúvida a respeito. Vai dizer isso porque eu quero, porque é preciso que acreditem que estou morto. Vai dizer isso principalmente porque se não disser...

– Porque se eu não disser?

– Seu pai será sequestrado esta noite, como Ganimard e Herlock Sholmes foram.

Beautrelet sorriu.

– Não ria. Responda.

– Respondo que é muito desagradável para mim incomodá-lo, mas prometi falar e vou falar.

– Fale no sentido que estou lhe dizendo.

– Falarei no sentido da verdade – gritou Beautrelet com veemência. – É algo que o senhor não consegue entender, o prazer, ou melhor, a necessidade de dizer o que é e de dizê-lo em alto e bom som. A verdade está aqui, neste cérebro que a descobriu, e ela sairá nua e vibrante. O artigo, portanto, será publicado como o escrevi. As pessoas saberão que Lupin está vivo, saberão o motivo pelo qual ele queria que fosse considerado morto. Saberão tudo.

E ele acrescentou baixinho:

– E meu pai não será sequestrado.

Os dois ficaram em silêncio mais uma vez, os olhos ainda fixos um no outro. Estavam se observando. As espadas estavam entrelaçadas até a base. Era o silêncio pesado que precede o golpe fatal. Quem iria dá-lo?

Lupin sussurrou:

– Esta noite, às três da manhã, a menos que eu diga o contrário, dois de meus amigos têm ordens de entrar no quarto de seu pai, prendê-lo, de boa vontade ou à força, para levá-lo a se juntar com Ganimard e Herlock Sholmes.

A explosão de um riso estridente foi a resposta para ele.

– Mas não entende que tomei minhas precauções? – perguntou Beautrelet. – Então imagina que sou ingênuo o suficiente para ter, tolamente, estupidamente, enviado meu pai para casa, para a casinha isolada que ele ocupava no campo?

Ah, o belo riso irônico que animava o rosto do jovem! Riso novo em seus lábios, riso em que a própria influência de Lupin era sentida... E a intimidade insolente que de pronto o colocava ao nível do seu adversário!... Ele continuou:

– Veja, Lupin, seu grande defeito é acreditar que suas combinações são infalíveis. Você se declara derrotado! Que piada! Está convencido de que no final, e sempre, vencerá... e se esquece que os outros também podem ter suas combinações. A minha é muito simples, meu bom amigo.

Era delicioso ouvi-lo falar. Ele ia e vinha, com as mãos nos bolsos, com a audácia, com a petulância de uma criança que assedia a besta feroz acorrentada. Verdadeiramente, naquela hora, ele estava vingando, pela mais terrível das vinganças, todas as vítimas do grande aventureiro. E concluiu:

– Lupin, meu pai não está na Saboia. Está do outro lado da França, no centro de uma grande cidade, guardado por vinte de nossos amigos que têm ordens de não perdê-lo de vista até o fim de nossa batalha. Você quer detalhes? Ele está em Cherbourg, na casa de um dos funcionários do arsenal. Arsenal que fecha à noite, e onde só se pode entrar durante o dia com uma autorização e na companhia de um guia.

Ele havia parado na frente de Lupin e o estava provocando como uma criança que faz uma careta para um colega.

– O que diz, mestre?

Por vários minutos, Lupin permanecera imóvel. Nenhum músculo de seu rosto se movera. O que ele estava pensando? Que atitude iria tomar? Para qualquer um que conhecesse a violência cruel de seu orgulho, apenas um resultado era possível: o colapso total, imediato e definitivo de seu inimigo. Seus dedos se crisparam. Tive a sensação por um segundo de que iria se jogar sobre ele e estrangulá-lo.

– O que diz, mestre? – repetiu Beautrelet.

Lupin pegou o telegrama que estava sobre a mesa, estendeu-o a ele e disse, com muito controle de si mesmo:

– Veja, bebê, leia isso.

Beautrelet ficou sério, repentinamente impressionado com a gentileza do gesto. Desdobrou o papel e de imediato, erguendo os olhos, murmurou:

– O que significa?… Não entendo.

– Você entende muito bem a primeira palavra – disse Lupin… – A primeira palavra da mensagem… quer dizer o nome do lugar de onde foi enviada… Olhe… *Cherbourg*.

– Sim... sim... – gaguejou Beautrelet. – Sim... *Cherbourg*... e daí?

– E daí?... Parece-me que o resto não é menos claro: "Retirada de pacote concluída... os camaradas partiram com ele e aguardarão instruções até as oito da manhã. Tudo vai bem". O que é que parece obscuro para você? A palavra pacote? Bem, dificilmente se poderia escrever *senhor Beautrelet pai*. Daí o quê? Como a operação foi realizada? O milagre graças ao qual seu pai foi arrancado do arsenal de Cherbourg, apesar de seus vinte guarda-costas? Ora, isso é a infância da arte! Ainda assim, o pacote foi enviado. O que diz disso, bebê?

Com todo o seu ser tenso, com todo seu esforço exasperado, Isidore tentava não fazer feio. Mas era possível ver o tremor de seus lábios, a mandíbula que se contraía, os olhos que tentavam em vão se fixar em um ponto. Ele gaguejou algumas palavras, ficou em silêncio e, de repente, dobrando-se sobre si mesmo, com as mãos no rosto, começou a soluçar:

– Papai... papai...

Um resultado imprevisto, que era de fato o colapso que o amor-próprio de Lupin exigia, mas que também era outra coisa, algo infinitamente tocante e ingênuo. Lupin fez um gesto de aborrecimento e pegou o chapéu, como se sentisse incomodado diante daquele ataque incomum de sentimentalismo. Mas, na soleira da porta, ele parou, hesitou, depois voltou, passo a passo, lentamente.

O som suave dos soluços aumentou como o lamento triste de uma criancinha dominada pela dor. Os ombros marcavam o ritmo aflitivo. Lágrimas apareciam entre os dedos cruzados. Lupin se inclinou para a frente e, sem tocar em Beautrelet, disse-lhe em uma voz que não continha o menor sinal de zombaria, nem mesmo aquela ofensiva piedade dos vencedores:

– Não chore, garoto. Esses são os golpes que se deve esperar quando se entra na batalha, de cabeça baixa como fez. Os piores desastres esperam por você... É nosso destino de lutadores que assim o deseja. Devemos suportar com coragem.

Então, gentilmente, ele continuou:

– Você estava certo, sabe, não somos inimigos. Sei disso há muito tempo... Desde a primeira hora, senti por você, pelo ser inteligente que é, uma simpatia involuntária... admiração... E é por esse motivo que eu gostaria de lhe dizer isso... Não se ofenda particularmente... Eu lamentaria ofendê-lo... Mas tenho de lhe dizer... Então... desista de lutar contra mim... Não é por vaidade que estou lhe dizendo isso. Também não é porque eu o despreze... Mas veja... a luta é muito desigual... Você não conhece... ninguém conhece todos os recursos de que disponho... Veja, esse segredo da Agulha Oca que em vão você procura decifrar, admita por um momento que é um tesouro formidável, inesgotável... ou um refúgio invisível, prodigioso, fantástico... Ou talvez ambos... Pense no poder sobre-humano que posso tirar disso! E você também não conhece todos os recursos que tenho, tudo o que minha vontade e minha imaginação me permitem empreender e conseguir. Pense então que toda a minha vida... desde que nasci, eu poderia dizer... foi direcionada para o mesmo objetivo, que trabalhei como um condenado antes de ser o que sou, e para alcançar em toda a sua perfeição o tipo que eu queria criar, que consegui criar. Então o que você pode fazer? No exato momento em que achar que conquistou a vitória, ela lhe escapará... haverá algo em que você não terá pensado... um nada... o grão de areia que terei colocado no lugar certo, sem seu conhecimento... Por favor desista... Eu seria obrigado a lhe fazer mal e isso me entristece...

E, colocando a mão em sua testa, ele repetiu:

– Uma segunda vez, garoto, desista. Eu iria lhe fazer mal. Quem sabe se a armadilha em que você inevitavelmente vai cair já não está aberta sob seus pés?

Beautrelet tirou as mãos do rosto. Não estava mais chorando. Ele ouvira as palavras de Lupin? Alguém poderia ter dúvidas sobre isso diante de seu ar distraído. Por dois ou três minutos, ele ficou em silêncio. Parecia pesar a decisão que iria tomar, examinar os prós e os contras, contar as chances favoráveis ou desfavoráveis. Finalmente, disse a Lupin:

– Se eu mudar o sentido do meu artigo, e se eu confirmar a versão de sua morte, e se eu me comprometer a nunca negar a versão falsa que vou confirmar, você me jura que meu pai ficará livre?

– Juro. Meus amigos foram com seu pai para outra cidade na província. Amanhã de manhã, às sete horas, se o artigo do *Grand Journal* estiver como eu lhe peço, telefonarei a eles e eles colocarão seu pai em liberdade.

– Muito bem – disse Beautrelet –, eu me submeto às suas condições.

Rapidamente, como se achasse inútil, depois de aceitar a derrota, prolongar a conversa, ele se levantou, pegou o chapéu, me cumprimentou, cumprimentou Lupin e saiu.

Lupin o observou ir embora, ouviu o som da porta fechando e murmurou:

– Pobre criança...

Na manhã seguinte, às oito horas, mandei meu criado buscar um *Grand Journal*. Ele só o trouxe depois de vinte minutos, a maioria das bancas já estava ficando sem cópias.

Desdobrei febrilmente o jornal. *No alto, aparecia o artigo de Beautrelet.* Aqui está, como foi reproduzido em jornais de todo o mundo:

O DRAMA DE AMBRUMÉSY

O propósito destas poucas linhas não é explicar em detalhes o trabalho de reflexão e pesquisa graças ao qual consegui reconstituir o drama, ou melhor, o duplo drama de Ambrumésy. Na minha opinião, esse tipo de trabalho e os comentários que envolve, deduções, induções, análises, etc., tudo isso oferece apenas um interesse relativo e, em todo caso, muito banal. Não, vou me contentar em expor as duas ideias norteadoras de meus esforços e, por esse caminho, veremos que, expondo-as e resolvendo os dois problemas que elas levantam, terei contado esse caso de maneira bastante simples, seguindo a própria ordem dos fatos que o constituem.

Talvez se perceba que alguns desses fatos não estão comprovados e que deixo uma parte bastante grande para a hipótese. É verdade. Mas acredito que minha hipótese se baseia em um número suficientemente grande de certezas, para que a sequência dos fatos, mesmo não comprovada, se imponha com um rigor inflexível. A fonte muitas vezes se perde sob o leito de seixos, ainda assim não deixa de ser a mesma fonte que vemos novamente nos intervalos onde o azul do céu se reflete...

Afirmo assim o primeiro enigma, um enigma não de detalhe, mas de conjunto, que me solicitou: como é que Lupin, ferido de morte, poder-se-ia dizer, viveu quarenta dias, sem cuidados, sem drogas, sem comida, no fundo de um buraco escuro?

Vamos começar do começo. Na quinta-feira, dia 16 de abril, às quatro da manhã, Arsène Lupin, surpreendido em meio a um de seus mais ousados assaltos, foge pelo caminho das ruínas e cai ferido por uma bala. Ele se arrasta com dificuldade, torna a cair e se levanta, com a esperança encarniçada de chegar à capela. Lá fica a cripta que o acaso lhe revelou. Se ele puder se agachar ali, talvez esteja a salvo. Com muita energia, ele se aproxima, está a poucos metros dela, quando ocorre o som de passos. Extenuado, perdido, ele se entrega. O inimigo chega. É a senhorita Raymonde de Saint-Véran. Esse é o prólogo do drama, ou melhor, a primeira cena do drama.

O que acontece entre eles? É muito mais fácil adivinhar pelo fato de o resto da aventura nos dar todas as indicações. Aos pés da jovem, está um homem ferido, exausto de sofrimento, e que em dois minutos será capturado. Este homem, foi ela quem feriu. Irá ela também entregá-lo.

Se ele é o assassino de Jean Daval, sim, ela deixará o destino se cumprir. Mas, em frases rápidas, ele lhe conta a verdade sobre esse assassinato legítimo cometido por seu tio, o senhor de Gesvres. Ela acredita nisso. O que ela vai fazer? Ninguém pode vê-los. O criado Victor vigia a portinhola. O outro, Albert, postado na janela do salão, perdeu de vista ambos. Ela irá entregar o homem que feriu?

Um irresistível movimento de piedade, que todas as mulheres vão entender, envolve a jovem. Orientada por Lupin, em poucos gestos, ela enfaixa o ferimento com o lenço para evitar as marcas que o sangue deixaria. Então, usando a chave que ele lhe entrega, ela abre a porta da capela. Ele entra, apoiado pela jovem. Ela a fecha e se afasta. Albert chega.

Se alguém tivesse visitado a capela naquele momento, ou pelo menos nos minutos que se seguiram, Lupin, sem ter tido tempo de recuperar as forças, de levantar a laje e de desaparecer pelas escadas da cripta, teria sido preso... Mas essa visita só aconteceu seis horas depois, e da maneira mais superficial. Lupin foi salvo e salvo por quem? Por aquela que quase o matou.

Agora, queira ou não, a senhorita de Saint-Véran é sua cúmplice. Não só ela não pode mais entregá-lo, mas deve continuar sua obra, caso contrário o ferido morrerá no abrigo onde ela ajudou a escondê-lo. E ela continua... Além disso, se seu instinto de mulher torna a tarefa obrigatória, também a torna fácil para ela. Ela tem todas as delicadezas, ela prevê tudo. É ela quem dá ao juiz de instrução uma falsa descrição de Arsène Lupin (é preciso

*lembrar da diferença de opinião das duas primas a esse respeito).
É ela, claro, que, com base em algumas pistas que não conheço,
adivinha, sob o disfarce de cocheiro, o cúmplice de Lupin. É ela
quem o avisa. É ela quem o informa da urgência de uma operação.
É ela sem dúvida quem substitui um boné por outro. É ela quem
manda escrever o famoso bilhete em que é designada e ameaçada
pessoalmente. Como, depois disso, alguém poderia suspeitar dela?*

*É ela quem, no momento em que eu ia confiar as minhas
primeiras impressões ao juiz de instrução, afirma ter me visto na
véspera no matagal. É ela quem deixa o senhor Filleul preocupado
quanto a mim e me reduz ao silêncio. Manobra perigosa, certamente, pois me desperta a atenção e a dirige contra aquela que me
oprime com uma acusação que eu sei ser falsa, mas uma manobra
eficaz, pois se trata antes de tudo de ganhar tempo e de me fechar
a boca. E é ela quem, por quarenta dias, alimenta Lupin, leva-lhe
remédios (que se pergunte ao farmacêutico de Ouville, ele mostrará
as receitas que fez para a senhorita de Saint-Véran), e finalmente
é ela que trata do paciente, quem cuida dele, olha por ele e o cura.*

*E aqui está o primeiro dos nossos dois problemas resolvidos,
ao mesmo tempo que o drama é exposto. Arsène Lupin encontrou
perto dele, no próprio castelo, a ajuda que lhe era indispensável,
primeiro para não ser descoberto, depois para viver.*

*Agora ele está vivo. E é aí que surge o segundo problema, cuja
busca me serviu de fio condutor e que corresponde ao segundo
drama de Ambrumésy. Por que Lupin, vivo, livre, novamente à
frente de seu bando, todo-poderoso como antigamente, por que
Lupin fez esforços desesperados, esforços que eu constantemente
enfrento, para impor à justiça e ao público a ideia de sua morte?*

*É preciso lembrar que a senhorita de Saint-Véran era muito bo-
nita. As fotos que os jornais reproduziram após seu desaparecimento*

dão apenas uma ideia imperfeita de sua beleza. Acontece então o que não poderia deixar de acontecer. Lupin, que, por quarenta dias, vê essa linda jovem, que deseja sua presença quando ela não está, que experimenta, quando ela está, seu encanto e sua graça, que respira, quando ela se inclina sobre ele, o cheiro fresco de sua respiração, Lupin se apaixona por sua enfermeira. O reconhecimento se transforma em amor, a admiração se converte em paixão. Ela é a salvação, mas é também a alegria dos olhos, o sonho de suas horas solitárias, sua clareza, sua esperança, sua própria vida.

Ele a respeita a ponto de não explorar a devoção da jovem, e de não usá-la para orientar seus cúmplices. De fato, existia alguma hesitação nos atos do bando. Mas ele também a ama, e seus escrúpulos diminuem e como a senhorita de Saint-Véran não se deixa tocar por um amor que a ofende, como ela começa a espaçar suas visitas à medida que se tornam menos necessárias, e como ela as interrompe quando ele é curado... desesperado, enlouquecido pela dor, ele toma uma resolução terrível. Sai de seu abrigo, prepara seu golpe e, no sábado, 6 de junho, com a ajuda de seus cúmplices, sequestra a jovem.

E não é tudo. Esse sequestro, não deve ser conhecido. É preciso acabar logo com as buscas, com as suposições, até mesmo com as esperanças: a senhorita de Saint-Véran passará por morta. O assassinato é simulado, as evidências são apresentadas para investigação. O crime é certo. Um crime previsto, aliás, um crime anunciado pelos cúmplices, um crime executado para vingar a morte do chefe, e por isso mesmo – vejam a maravilhosa engenhosidade de tal concepção –, por isso mesmo, como direi?... se vê ligado à crença nessa morte.

Não basta despertar uma crença, é preciso impor uma certeza. Lupin prevê minha intervenção. Eu vou adivinhar a farsa da *capela. Vou encontrar a cripta. E como a cripta estará vazia, toda a estrutura desabará.*

Mas a cripta não ficará vazia.

Da mesma forma, a morte da senhorita de Saint-Véran só será definitiva se o mar rejeitar seu cadáver.

O mar vai rejeitar o cadáver da senhorita de Saint-Véran!

A dificuldade é formidável? O duplo obstáculo intransponível? Sim, para qualquer um que não seja Lupin, mas não para Lupin...

Como ele havia previsto, eu adivinho a farsa da capela, descubro a cripta e desço até a toca onde Lupin se refugiou. Seu cadáver está ali!

Qualquer um que tivesse admitido a morte de Lupin como possível teria sido derrotado. Mas nem por um segundo eu havia admitido essa possibilidade (primeiro por intuição, depois por raciocínio). O subterfúgio então se tornava inútil, assim como se tornavam vãs todas as combinações. Imediatamente, digo a mim mesmo que o bloco de pedra sacudido por uma picareta havia sido colocado ali com uma precisão muito curiosa, que o menor impacto o faria cair e que, caindo, inevitavelmente reduziria a uma pasta a cabeça do falso Arsène Lupin para torná-lo irreconhecível.

Outro achado. Meia hora depois, soube que o cadáver da senhorita de Saint-Véran fora descoberto nas rochas de Dieppe... ou melhor, um cadáver que se acreditava ser o da senhorita de Saint-Véran, pelo fato de no braço haver um bracelete semelhante a um dos braceletes da jovem. Era aliás a única marca de identidade, porque o cadáver estava irreconhecível.

Então me recordo e compreendo tudo. Alguns dias antes, eu lera numa edição de La Vigie de Dieppe, *que um jovem casal de americanos, de passagem por Envermeu, se envenenara voluntariamente, e que na própria noite de sua morte seus cadáveres*

ARSÈNE LUPIN E A AGULHA OCA

desapareceram. Corro para Envermeu. A história é verdadeira, me contam, exceto no que diz respeito ao desaparecimento, já que foram os irmãos das duas vítimas que vieram reclamar os cadáveres e os levaram após as verificações de praxe. Esses irmãos, não há dúvida de que se chamassem Arsène Lupin e seus comparsas.

Portanto, a prova está produzida. Sabemos o motivo pelo qual Arsène Lupin simulou o assassinato da jovem e fez com que acreditassem no boato de sua própria morte. Ele ama e não quer que ninguém saiba disso. E, para que ninguém saiba disso, não recua diante de nada, vai ao ponto de empreender esse incrível roubo dos dois cadáveres de que necessita para desempenhar os papéis dele e da senhorita de Saint-Véran. Então ficará tranquilo. Ninguém poderá preocupá-lo. Ninguém suspeitará da verdade que ele quer encobrir.

Ninguém? Sim... Três adversários, se necessário, poderiam esboçar algumas dúvidas: Ganimard, cuja chegada esperamos, Herlock Sholmes que deve atravessar o estreito, e eu, que estou no local. Existe um perigo triplo aqui. Ele o remove. Sequestra Ganimard. Sequestra Herlock Sholmes. Faz com que eu seja apunhalado por Brédoux.

Um único ponto permanece obscuro. Por que Lupin terá se esforçado tanto para roubar de mim o documento da Agulha Oca? Ele não teria a pretensão, ao retomá-lo, de apagar da minha memória o texto das cinco linhas que o compõem. Então por quê? Ele tem medo de que a própria natureza do papel, ou qualquer outro indício, me forneça alguma informação?

De qualquer maneira, essa é a verdade sobre o caso Ambrumésy. Repito que a hipótese desempenha certo papel na explicação que estou propondo, assim como desempenhou grande papel em minha investigação pessoal. Mas se alguém esperasse pelas provas

e pelos fatos para lutar contra Lupin, haveria uma grande possi-
bilidade de ou esperar por eles sempre, ou descobrir algumas que,
preparadas por Lupin, levariam justamente ao oposto do objetivo.
Estou confiante de que os fatos, quando forem todos conhecidos,
confirmarão minha hipótese em todos os pontos.

Assim, Beautrelet, por um momento dominado por Arsène Lupin, perturbado pelo sequestro do pai e resignado com a derrota, Beautrelet, no final, não conseguiu decidir por ficar em silêncio. A verdade era linda e estranha demais, as provas que ele poderia fornecer eram lógicas e conclusivas demais para ele concordar em disfarçá-la. O mundo inteiro estava esperando por suas revelações. Ele falava.

Na própria noite do dia em que foi publicado seu artigo, os jornais anunciaram o sequestro do senhor Beautrelet pai. Isidore fora informado disso por uma mensagem de Cherbourg, recebida às três horas.

NA PISTA

A violência do golpe abalou o jovem Beautrelet. Embora ele tivesse obedecido, ao publicar seu artigo, a um daqueles movimentos irresistíveis que fazem desdenhar de toda cautela, no fundo não tinha acreditado na possibilidade de um sequestro. Suas precauções tinham sido muito bem tomadas. Os amigos de Cherbourg não só haviam sido instruídos a ficar com o velho Beautrelet, mas também a vigiar as suas idas e vindas, nunca deixá-lo sair sozinho, nem mesmo entregar-lhe nenhuma carta sem a ter previamente aberto. Não, não havia perigo. Lupin estava blefando; Lupin, ansioso para ganhar tempo, procurava intimidar seu adversário. O golpe foi, portanto, quase imprevisto, e, durante todo o final do dia, incapaz como estava de agir, ele sentia o choque doloroso dele decorrente. Uma ideia o sustentava: partir, ir até lá, ver por si mesmo o que tinha acontecido e retomar a ofensiva. Enviou um telegrama para Cherbourg. Por volta das oito horas, chegou à estação Saint-Lazare. Em poucos minutos, tomou o expresso.

Foi apenas uma hora depois, abrindo maquinalmente um jornal vespertino comprado no cais, que ele teve conhecimento da famosa carta pela qual Lupin respondia indiretamente ao seu artigo matinal.

Senhor diretor,

Não pretendo de forma alguma que minha modesta personalidade, que, claro, em tempos mais heroicos, teria passado completamente despercebida, assuma algum relevo nos nossos tempos de fraqueza e mediocridade. Mas há um limite que a curiosidade doentia das multidões não poderia ultrapassar, sob pena de uma indiscrição desonesta. Se não respeitarmos mais a barreira da privacidade, qual será a proteção dos cidadãos?

Os interesses superiores da verdade serão invocados? Vão pretexto para mim, pois a verdade é conhecida e não tenho nenhuma dificuldade em escrever a confissão oficial dela. Sim, a senhorita de Saint-Véran está viva. Sim, eu a amo. Sim, estou triste por não ser amado por ela. Sim, a investigação do pequeno Beautrelet é admirável em termos de precisão e exatidão. Sim, concordamos em todos os pontos. Não há mais enigma. Muito bem. E então?...

Atingido até nas profundezas da minha alma, ainda sangrando pelas mais cruéis feridas morais, peço que não mais se divulgue à malignidade pública meus sentimentos mais íntimos e minhas esperanças mais secretas. Peço a paz, a paz que me é necessária para que eu ganhe o afeto da senhorita de Saint-Véran, e para apagar de sua memória os mil pequenos insultos que seu tio e sua prima lhe fizeram – isso não foi dito –, sua situação de parente pobre. A senhorita de Saint-Véran esquecerá esse passado detestável. O que quer que ela deseje, seja a joia mais linda do mundo, seja o tesouro mais inacessível, eu colocarei a seus pés. Ela será feliz. Ela me amará. Mas para ter sucesso, digo mais uma vez, preciso de paz. É por isso que deponho minhas armas, e é por isso que trago o ramo de oliveira para os meus inimigos – advertindo-os, aliás, generosamente, que uma recusa da sua parte poderia ter para eles as mais graves consequências.

Mais uma palavra sobre o senhor Harlington. Por trás desse nome, esconde-se um excelente rapaz, secretário do bilionário americano Cooley, e encarregado por ele de arrebanhar pela Europa todos os objetos de arte antiga que se possa descobrir. O azar quis que ele topasse com meu amigo, Etienne de Vaudreix, aliás Arsène Lupin, aliás eu. Ele soube assim, o que no caso era falso, que um certo senhor de Gesvres queria desfazer-se de quatro Rubens, com a condição de que fossem substituídos por cópias e que essa barganha permanecesse em segredo, com o que ele concordou. Meu amigo Vaudreix garantia que conseguiria persuadir o senhor de Gesvres a vender a Chapelle-Dieu. As negociações continuaram com total boa-fé do lado de meu amigo Vaudreix, com charmosa ingenuidade por parte do senhor Harlington, até o dia em que os Rubens e as pedras esculpidas da Chapelle-Dieu foram colocados em lugar seguro... e o senhor Harlington na prisão. Portanto, nada mais resta a fazer senão libertar o infeliz americano, que se contentou com o modesto papel de ingênuo, desmascarar o bilionário Cooley, já que, por medo de possíveis problemas, ele não protestou contra a prisão de seu secretário, e parabenizar meu amigo Etienne de Vaudreix, aliás eu, já que ele vinga a moralidade pública guardando os quinhentos mil francos que recebeu como adiantamento do pouco simpático Cooley.

Desculpe a extensão dessas linhas, meu caro diretor, e receba meus sinceros cumprimentos.

Arsène Lupin

Talvez Isidore tenha pesado os termos dessa carta com tanta minúcia quanto havia estudado o documento da *Agulha Oca*. Ele partia do princípio, cuja correção era fácil de demonstrar, que Lupin nunca se dera ao trabalho de enviar aos jornais uma única de suas divertidas cartas sem absoluta necessidade, sem uma razão que os acontecimentos não deixavam de trazer à luz um dia ou outro. Qual era o motivo daquela? Por que razão secreta ele confessava seu amor e o fracasso desse amor? Será que era preciso procurar, quer nas explicações que diziam respeito ao senhor Harlington, quer mais longe ainda, nas entrelinhas, por trás de todas aquelas palavras cujo significado aparente talvez não tivesse outro propósito senão sugerir a pequena ideia má, traiçoeira, desconcertante?...

Por horas, o jovem, trancado em sua cabine, permaneceu pensativo, preocupado. Aquela carta lhe inspirava suspeitas, como se tivesse sido escrita para ele, e fosse destinada a induzi-lo ao erro, especialmente ele. Pela primeira vez, e porque se via confrontado não mais com um ataque direto, mas com um processo de luta ambíguo, indefinível, ele experimentava a sensação muito distinta do medo. E, pensando em seu velho e bom pai, sequestrado por sua culpa, ele se perguntava angustiado se não seria loucura continuar um duelo tão desigual. O resultado não era certo? Lupin já não teria ganho de antemão a partida?

Um desânimo de curta duração! Quando ele saiu da cabine às seis da manhã, reconfortado por algumas horas de sono, havia recuperado toda a fé.

No cais, Froberval, o funcionário do porto militar que havia hospedado o velho Beautrelet, esperava por ele, acompanhado de sua filha Charlotte, uma menina de doze a treze anos.

– E então? – exclamou Beautrelet.

Como o pobre homem começasse a gemer, ele o interrompeu, conduziu-o a uma taberna próxima, fez com que lhe servissem café e começou a falar com clareza, sem permitir ao seu interlocutor a menor digressão:

– Meu pai não foi levado embora, não é, era impossível?

– Impossível. No entanto, ele desapareceu.

– Desde quando?

– Não sabemos.

– Como assim?

– Não. Ontem de manhã, às seis horas, vendo que ele não descia, abri sua porta. Ele não estava mais lá.

– Mas, anteontem, ele ainda estava lá?

– Sim. Anteontem ele não saiu do quarto. Ele estava um pouco cansado, e Charlotte lhe levou seu almoço ao meio-dia e seu jantar às sete da noite.

– Então, foi entre as sete da noite de anteontem e as seis da manhã de ontem que ele desapareceu?

– Sim, na noite anterior a esta. Só que...

– Só que?

– Bem!... à noite, não se pode sair do arsenal.

– Então ele não saiu?

– Impossível! Meus colegas e eu vasculhamos todo o porto militar.

– Então ele saiu.

– Impossível. Tudo está vigiado.

Beautrelet refletiu, depois disse:

– No quarto, a cama estava desfeita?

– Não.

– E o quarto estava em ordem?

– Sim. Encontrei seu cachimbo no mesmo lugar, seu tabaco, o livro que ele estava lendo. Tinha até, no meio do livro, essa pequena fotografia sua segurando a página aberta.

– Deixe-me ver.

Froberval lhe passou a fotografia. Beautrelet fez um gesto de surpresa. Ele tinha acabado de se reconhecer no instantâneo, de pé, as duas mãos nos bolsos, tendo ao seu redor um gramado onde se distinguiam árvores e ruínas. Froberval acrescentou:

– Este deve ser o último retrato seu que o senhor enviou a ele. Veja, atrás, tem a data... 3 de abril, o nome do fotógrafo, R. de Val, e o nome da cidade, Lion... Lion-sur-Mer... talvez.

Isidore, de fato, havia virado a foto e lia esta pequena anotação, com sua letra: R. de Val – 3-4 – Lion.

Ele permaneceu em silêncio por alguns minutos, então continuou:

– Meu pai ainda não lhe tinha mostrado esse instantâneo?

– Bem, não... e fiquei surpreso quando vi isso ontem... porque seu pai falava com muita frequência do senhor!

Um novo silêncio, muito longo. Froberval murmurou:

– Tenho de ir cuidar da oficina... Talvez pudéssemos voltar...

Ele se calou. Isidore não tinha tirado os olhos da fotografia, examinando-a em todos os detalhes. Finalmente, o jovem perguntou:

– Existe uma hospedaria Lion d'Or, a uma légua depois da cidade?

– Sim, claro, a uma légua daqui.

– Na estrada para Valognes, não é?

– Na estrada para Valognes, de fato.

– Bem, tenho todos os motivos para supor que essa hospedaria foi o quartel-general dos amigos de Lupin. Foi de lá que entraram em contato com meu pai.

– Que ideia! Seu pai não falava com ninguém. Não viu ninguém.

– Ele não viu ninguém, mas usaram um intermediário.

– Que prova tem disso?

– Essa fotografia.

– Mas é sua?

– É minha, mas não foi enviada por mim. Eu nem a conhecia. Foi tirada sem meu conhecimento nas ruínas de Ambrumésy, sem dúvida pelo escrivão do juiz de instrução, que era, como o senhor sabe, cúmplice de Arsène Lupin.

– E daí?

– Essa fotografia foi o passaporte, o talismã graças ao qual conquistaram a confiança de meu pai.

– Mas quem? Quem poderia penetrar em minha casa?

– Não sei, mas meu pai caiu na armadilha. Disseram-lhe, e ele acreditou, que eu estava nos arredores e que pedia para vê-lo e que o encontraria na hospedaria Lion d'Or.

– Mas tudo isso é loucura, não? Como pode afirmar?

– Muito simplesmente. Imitaram minha letra atrás da foto e definiram o encontro… Estrada de Valognes, 3 km 400, hospedaria Lion d'Or. Meu pai foi e eles o pegaram, eis tudo.

– Que seja – Froberval murmurou atordoado –, que seja… eu admito… as coisas aconteceram assim… mas tudo isso não explica como ele pôde sair durante a noite.

– Ele saiu, em plena luz do dia, mesmo que isso significasse esperar até o anoitecer para ir ao encontro.

– Mas, que diabo, já que anteontem não saiu do quarto o dia inteiro!

– Haveria uma maneira de ter certeza; corra até o porto, Froberval, e procure um dos homens que estava de serviço anteontem à tarde… Mas se apresse se quiser me encontrar aqui.

– O senhor vai partir então?

– Sim, vou pegar o trem novamente.

– Como assim? Mas o senhor não sabe… Sua investigação…

– Minha investigação acabou. Sei quase tudo que eu queria saber. Em uma hora, terei deixado Cherbourg.

Froberval havia se levantado. Olhou para Beautrelet absolutamente perplexo, hesitou por um momento, depois pegou o boné.

– Você vem, Charlotte?

– Não – disse Beautrelet –, eu ainda precisaria de algumas informações. Deixe-a comigo. Assim conversaremos. Eu a conheci quando era pequena.

Froberval saiu. Beautrelet e a menina foram deixados sozinhos na sala da taberna. Minutos se passaram, um rapaz entrou, pegou algumas xícaras e desapareceu.

Os olhos do jovem e da criança se encontraram e, muito gentilmente, Beautrelet pôs a mão na mão da garota. Ela olhou para ele por dois ou três segundos, perdida, como se estivesse sufocada. Então, de repente cobrindo a cabeça entre os braços dobrados, ela explodiu em soluços.

Ele a deixou chorar e, depois de um momento, lhe disse:

– Foi você quem fez tudo, não é, foi você quem serviu de intermediária? Foi você quem levou a fotografia? Você admite, não é? E quando disse que anteontem meu pai estava no quarto dele, você sabia muito bem que não, não é, pois foi você quem o ajudou a sair...

Ela não respondia. Ele lhe disse:

– Por que fez isso? Ofereceram-lhe dinheiro, sem dúvida... o suficiente para comprar fitas... um vestido...

Ele descruzou os braços de Charlotte e lhe ergueu a cabeça. Viu um pobre rosto riscado de lágrimas, um rosto gracioso, inquietante e expressivo, dessas meninas que estão destinadas a todas as tentações, a todos os desfalecimentos.

– Pronto – retomou Beautrelet –, acabou, não falemos mais nisso... Não estou nem perguntando como foi. Você só vai me contar tudo que pode ser útil para mim!... Você surpreendeu alguma coisa... uma palavra dessas pessoas? Como foi feito o sequestro?

Ela respondeu imediatamente:

– No carro... Eu os ouvi falando sobre isso.

– E que rota eles tomaram?

– Ah!, isso eu não sei.

– Eles não trocaram nenhuma palavra na sua frente que possa nos ajudar?

– Nenhuma... Houve um, porém, que disse: "Não haverá tempo a perder... é amanhã de manhã às oito horas, que o patrão deve nos telefonar lá...".

– Onde lá?... Lembra... Era um nome de cidade, não era?

– Sim... um nome... como castelo...

– Châteaubriant?... Château-Thierry?

– Não... não...

– Châteauroux?

– É isso... Châteauroux...

Beautrelet não esperara que ela pronunciasse a última sílaba. Ele já estava de pé, e sem se preocupar com Froberval, sem mais se ocupar com a menina. Enquanto ela o olhava com espanto, ele abria a porta e corria para a estação.

– Châteauroux... Senhora... uma passagem para Châteauroux...

– Por Le Mans e Tours? – perguntou a bilheteira.

– Obviamente... o mais curto... Chegarei lá até a hora do almoço?

– Ah, não!...

– Na hora do jantar? Para dormir?...

– Ah, não, para isso seria preciso passar por Paris... O expresso para Paris sai às oito horas... É tarde demais.

Não era tarde demais. Beautrelet ainda conseguiu pegá-lo.

– Vejamos – disse Beautrelet, esfregando as mãos –, só passei uma hora em Cherbourg, mas foi um tempo bem empregado.

Nem por um momento ele pensou em acusar Charlotte de mentir. Fracas, desamparadas, capazes das piores traições, essas pequenas naturezas obedecem igualmente a rompantes de sinceridade, e Beautrelet vira, em seus olhos assustados, a vergonha do mal que havia cometido e a alegria de repará-lo, em parte. Ele, portanto, não tinha dúvidas de que Châteauroux era a outra cidade à qual Lupin havia aludido, e de onde seus cúmplices deveriam lhe telefonar.

Assim que chegou a Paris, Beautrelet tomou todas as precauções necessárias para não ser seguido. Ele sentia que a hora era séria. Estava indo pelo caminho certo que o levaria até seu pai; uma imprudência podia estragar tudo.

Entrou na casa de um de seus amigos do liceu e saiu uma hora depois, irreconhecível. Era um inglês na casa dos trinta, vestido com um terno marrom xadrez, calça curta, meias de lã, boné de viagem, rosto colorido e uma barba ruiva curta.

Pegou uma bicicleta à qual estava presa um completo material de pintura e acelerou em direção à estação de Austerlitz.

À noite, estava dormindo em Issoudun. No dia seguinte, já ao amanhecer, montou na bicicleta. Às sete horas, apresentou-se no correio em Châteauroux e pediu uma comunicação com Paris. Forçado a esperar, puxou conversa com o funcionário e soube que na véspera, na mesma hora, um sujeito vestido de automobilista também havia solicitado comunicação com Paris.

Ele já tinha a prova. Não esperou mais.

À tarde, soube, por testemunhos irrecusáveis, que uma limusine, seguindo a rota de Tours, havia cruzado a vila de Buzançais, depois a cidade de Châteauroux e tinha parado além da cidade, na orla da floresta. Por volta das dez horas, um cabriolé, conduzido por um indivíduo, estacionara perto da limusine e partira para o sul pelo vale da Bouzanne. Nesse momento, outra pessoa estava ao lado do cocheiro. Quanto ao automóvel, tomando o caminho oposto, dirigira-se para o norte, em direção a Issoudun.

Isidore descobriu facilmente o dono do cabriolé. Mas esse dono não pôde dizer nada. Havia alugado o veículo e o cavalo a um indivíduo que os trouxera de volta no dia seguinte.

Por fim, nessa mesma noite, Isidore notou que o automóvel apenas passara por Issoudun, continuando seu percurso para Orléans, ou seja, para Paris.

De tudo isso decorria, da maneira mais absoluta, que o velho Beautrelet estava nos arredores. Do contrário, como se poderia admitir que pessoas percorressem quase quinhentos quilômetros pela França para vir telefonar em Châteauroux e subir, em ângulo agudo, pelo caminho de Paris? Esta volta imensa tinha um objetivo específico: transportar o velho Beautrelet até o local que lhe estava designado.

– E esse lugar está ao alcance das minhas mãos – disse Isidore a si mesmo, estremecendo de esperança. – A dez léguas, quinze léguas daqui, meu pai está esperando que eu o socorra. Ele está aqui. Respira o mesmo ar que eu.

Imediatamente, ele se pôs em campo. Pegando um mapa, dividiu-o em quadradinhos que visitava, um por um, entrando nas fazendas, conversando com os camponeses, procurando os professores, prefeitos, padres, puxando conversa com as mulheres. Parecia-lhe que iria alcançar a meta sem demora e seus sonhos iam se ampliando: já não era mais seu pai quem ele esperava libertar, mas todos aqueles que Lupin mantinha em cativeiro, Raymonde de Saint-Véran, Ganimard, Herlock Sholmes talvez, e outros, muitos outros. E, quando os alcançasse, chegaria ao mesmo tempo ao coração da fortaleza de Lupin, em seu covil, em seu retiro impenetrável onde ele empilhava os tesouros que roubara do universo.

Mas, depois de quinze dias de pesquisas infrutíferas, seu entusiasmo finalmente acabou por arrefecer e muito rapidamente ele perdeu a confiança. Como o sucesso demorasse a surgir, quase da noite para o dia ele passou a considerá-lo impossível e, embora continuasse a perseguir seu plano de investigações, teria experimentado uma verdadeira surpresa se seus esforços tivessem resultado na menor descoberta.

Mais dias se passaram, monótonos e desanimados. Soube pelos jornais que o conde de Gesvres e sua filha haviam deixado Ambrumésy e se estabelecido nos arredores de Nice. Soube também da libertação do senhor Harlington, cuja inocência saltou à vista, de acordo com as indicações de Arsène Lupin.

Mudou seu quartel-general, fixando-se dois dias em La Châtre, dois dias em Argenton. Mesmo resultado.

A essa altura, ele estava prestes a desistir do jogo. Obviamente, o cabriolé que trouxera seu pai servira apenas por uma etapa à qual uma outra, servida por outro veículo, havia sucedido. E seu pai estava longe. Ele pensou em ir embora.

Porém, numa segunda-feira de manhã, no envelope de uma carta não selada que lhe enviavam de Paris, notou uma caligrafia que o perturbou. Sua emoção foi tanta, por alguns minutos, que não ousava abrir, com medo de uma decepção. Sua mão tremia. Era possível? Não haveria ali uma armadilha que seu inimigo infernal estava preparando para ele? Com um gesto brusco, ele abriu. Na verdade, era uma carta de seu pai, escrita por ele próprio. A escrita tinha todas as peculiaridades, todos os tiques da caligrafia que ele conhecia tão bem. Ele leu:

Essas palavras vão chegar até você, meu filho querido? Não me atrevo a acreditar.

Durante toda a noite do sequestro viajamos de automóvel, depois, de manhã, de carruagem. Não consegui ver nada. Estava com os olhos vendados. O castelo onde estou detido deve ficar, a julgar pela sua construção e pela vegetação do parque, no centro da França. O quarto que ocupo fica no segundo andar, um cômodo com duas janelas, uma delas quase bloqueada por uma cortina de glicínias. À tarde, fico livre, em determinados horários, para circular nesse parque, mas sob vigilância constante.

Seja como for, escrevo esta carta para você e a amarro a uma pedra. Talvez um dia eu consiga jogá-la por cima dos muros e algum camponês a pegue. Não fique preocupado. Sou tratado com muita consideração.

*Seu velho pai que ama você e que fica triste ao pensar na preo-
cupação que lhe causa.*

Beautrelet

Imediatamente Isidore olhou para os carimbos do correio. Eram
de Cuzion (Indre). Indre! O departamento que ele vinha investigando
encarniçadamente havia semanas!

Consultou um pequeno guia de bolso que nunca largava. *Cuzion*,
cantão de *Eguzon*... Por lá também ele havia passado.

Por prudência, rejeitou sua personalidade de inglês, que começava
a ser conhecida na região, disfarçou-se de trabalhador e disparou para
Cuzion, um vilarejo bem pouco importante, onde lhe foi fácil encontrar
o remetente da carta.

Além disso, imediatamente a sorte o ajudou.

– Uma carta colocada no correio quarta-feira passada? – exclamou
o prefeito, bom burguês ao qual contou sua história e que se colocou à
sua disposição... Ouça, acho que posso lhe dar uma indicação valiosa...
Sábado de manhã, um velho amolador de facas que faz todas as feiras
do departamento, o pai Charel, com quem cruzei no final do vilarejo,
perguntou-me: "Senhor prefeito, uma carta que não tem selo, vai da
mesma forma?" "Claro! E chega ao seu destino?" "Com certeza, bastará
que o destinatário pague uma taxa adicional, só isso."

– E onde mora esse pai Charel?

– Mora ali, sozinho... na encosta... a cabana depois do cemitério...
Quer que o acompanhe?

Era um casebre isolado, no meio de um pomar cercado de árvores
altas. Quando eles entraram, três pegas voaram para fora da casinha
onde o cão de guarda estava amarrado. E o cachorro não latiu nem se
mexeu diante da aproximação deles.

Muito surpreso, Beautrelet deu um passo à frente. O animal estava
deitado de lado, com as pernas rígidas, morto.

Eles se dirigiram apressadamente para a casa. A porta estava aberta. Entraram. No fundo de um cômodo baixo e úmido, sobre um colchão de palha ruim jogado no chão, um homem estava deitado, totalmente vestido.

– O pai Charel! – gritou o prefeito... – Será que também está morto?

As mãos do homem estavam frias, seu rosto tinha uma palidez assustadora, mas o coração ainda batia, em um ritmo lento e fraco, e ele parecia não ter ferimentos.

Tentaram reanimá-lo e, como não conseguiam, Beautrelet saiu em busca de um médico. O médico não teve mais sucesso. O homem não parecia estar com dor. Dir-se-ia que simplesmente dormia, mas um sono artificial, como se tivesse adormecido por hipnose ou com a ajuda de um narcótico.

No meio da noite seguinte, porém, Isidore, que o vigiava, percebeu que sua respiração estava ficando mais forte e que todo o seu ser parecia se livrar das amarras invisíveis que o paralisavam.

Ao amanhecer, ele acordou e retomou suas funções normais, comeu, bebeu e se mexeu. Mas durante todo o dia não conseguiu responder às perguntas do jovem, seu cérebro ainda como que adormecido com um torpor inexplicável.

No dia seguinte, ele perguntou a Beautrelet:

– O que está fazendo aqui?

Era a primeira vez que se surpreendia com a presença de um estranho perto dele.

Aos poucos, dessa forma, ele recuperou toda a sua lucidez. Ele falou. Fez planos. Mas, quando Beautrelet lhe perguntou sobre os eventos que haviam precedido seu sono, pareceu não entender.

E realmente, Beautrelet sentiu que ele não entendia. Ele havia perdido a memória do que acontecera desde a sexta-feira anterior. Era como um abismo repentino no curso normal de sua vida. Ele contava sobre a manhã e a tarde da sexta-feira, os negócios realizados na feira, a refeição que fizera na hospedaria. Depois... mais nada... Ele pensava ter acordado no dia seguinte àquele dia.

Foi horrível para Beautrelet. A verdade estava ali, naqueles olhos que tinham visto os muros do parque atrás dos quais seu pai o esperava, naquelas mãos que tinham pegado a carta, naquele cérebro confuso que registrara o lugar da cena, o cenário, o pequeno canto do mundo onde aquele drama estava se desenrolando. E daquelas mãos, daqueles olhos, daquele cérebro, ele não conseguia extrair o menor eco daquela verdade tão próxima!

– Oh! Aquele obstáculo impalpável e formidável contra o qual iam seus esforços, aquele obstáculo feito de silêncio e de esquecimento, quão bem ele carregava a marca de Lupin! Só ele tinha podido, sem dúvida informado que o velho Beautrelet tentara dar um sinal, só ele tinha podido golpear com morte parcial aquele único ser cujo testemunho podia incomodá-lo. Não que Beautrelet se sentisse descoberto, e que ele pensasse que Lupin, ciente de seu ataque furtivo e sabendo que uma carta chegara até ele, tivesse se defendido pessoalmente contra ele. Mas que demonstração de clarividência e de verdadeira inteligência fora suprimir a possível acusação daquele transeunte! Agora, ninguém mais sabia que havia um prisioneiro dentro dos muros de um parque, um prisioneiro que pedia ajuda.

Ninguém? Sim, Beautrelet. O pai Charel não conseguia falar? Tudo bem. Mas seria possível saber pelo menos a feira para onde o homem tinha ido e o caminho lógico que ele tomara para voltar dela. E, ao longo dessa estrada, talvez finalmente fosse possível encontrar...

Isidore, que aliás só fora até o casebre do pai Charel tendo tomado as maiores precauções, e também para não chamar a atenção, decidira não voltar lá. Tendo perguntado, soube que sexta-feira era dia de feira em Fresselines, um grande burgo comercial localizado a algumas léguas de distância, para onde se podia ir pela estrada principal, que era bastante sinuosa, ou por atalhos.

Na sexta-feira, ele escolheu a estrada principal para ir até lá e não viu nada que chamasse sua atenção, nenhum recinto de muros altos, nenhuma silhueta de um velho castelo. Ele almoçou em uma pousada em Fresselines e estava se preparando para sair quando viu o pai Charel chegar, ele que estava atravessando a praça empurrando seu pequeno carro de amolador. Pôs-se a segui-lo de bem longe.

O velho fez duas paradas intermináveis, durante as quais amolou dezenas de facas. Então, por fim, escolheu um caminho completamente diferente que levava a Crozant e ao vilarejo de Eguzon.

Beautrelet foi atrás dele nessa estrada. Mas não tinha andado nem cinco minutos quando teve a impressão de que não era o único a seguir o homem. Entre eles, caminhava um indivíduo que parava e avançava ao mesmo tempo que o pai Charel, sem muito cuidado para não ser visto.

– Eles o estão observando, pensou Beautrelet, talvez queiram saber se ele para na frente dos muros...

Seu coração disparou. Os acontecimentos estavam se precipitando.

Os três, um atrás do outro, subiam e desciam as encostas íngremes da região e chegaram a Crozant. Lá, o pai Charel fez uma parada de uma hora. Em seguida, desceu até o rio e cruzou a ponte. Mas então aconteceu um fato que surpreendeu Beautrelet. O indivíduo não atravessou o rio. Ele viu o velho ir embora e quando o perdeu de vista, tomou um atalho que o conduziu para o campo aberto. Que fazer? Beautrelet hesitou por alguns segundos, mas de repente se decidiu. Pôs-se a perseguir o indivíduo.

"Ele deve ter notado", pensou, que o pai Charel passou direto. "Ele ficou tranquilo e foi embora. Para onde? Para o castelo?"

Estava se aproximando do seu objetivo. Sentia isso com uma espécie de alegria dolorosa que o animava.

Arsène Lupin e a Agulha Oca

O homem entrou em um bosque escuro que dava para o rio, então apareceu novamente em plena luz, no horizonte do atalho. Quando Beautrelet, por sua vez, saiu do bosque, ficou muito surpreso ao não ver mais o indivíduo. Estava procurando por ele com os olhos, quando de repente sufocou um grito e, com um salto para trás, retomou a linha de árvores que acabara de deixar. À sua direita, tinha visto um conjunto de muros altos, flanqueados a distâncias iguais por contrafortes maciços.

Ele estava lá! Ele estava lá! Aqueles muros aprisionavam seu pai! Ele havia encontrado o lugar secreto onde Lupin mantinha suas vítimas!

Ele não ousou mais sair do abrigo que a espessa folhagem da floresta lhe proporcionava. Lentamente, quase de bruços, inclinou-se para a direita e assim alcançou o topo de um monte que chegava à cumeeira das árvores vizinhas. Os muros eram ainda mais altos.

No entanto, ele discerniu o telhado do castelo que eles cercavam, um antigo telhado Luís XIII encimado por pequeninos campanários muito finos dispostos em círculo em torno de uma flecha mais aguda e mais alta.

Naquele dia, Beautrelet não fez mais nada. Ele precisava pensar e preparar seu plano de ataque sem deixar nada ao acaso. Mestre da situação, cabia a ele agora escolher a hora e o modo de combate. Ele se foi.

Perto da ponte, passou por duas camponesas que carregavam baldes cheios de leite. Perguntou a elas:

– Qual é o nome do castelo que fica ali, atrás das árvores?

– Esse, senhor, é o Castelo da Agulha.

Ele havia colocado sua pergunta sem dar importância a ela. A resposta o perturbou.

– O castelo da Agulha... Ah!... Mas onde estamos aqui? No departamento de Indre?

– Oh, não, Indre fica do outro lado do rio... Aqui é o departamento de Creuse [Oca].

Isidore teve um deslumbramento. O castelo da Agulha... o departamento de Creuse! A Agulha, Oca! A própria chave do documento! A vitória assegurada, definitiva, total...

Sem outra palavra, ele deu as costas às duas mulheres e saiu cambaleando como um bêbado.

UM SEGREDO HISTÓRICO

A resolução de Beautrelet foi imediata: ele agiria sozinho. Prevenir a justiça era muito perigoso. Além de só poder oferecer presunções, ele temia a lentidão da justiça, as esperadas indiscrições, toda uma investigação preliminar durante a qual Lupin, inevitavelmente informado, teria tempo para realizar sua retirada.

No dia seguinte, às oito horas, com seu pacote debaixo do braço, saiu da hospedaria em que morava nos arredores de Cuzion, foi até o primeiro matagal que apareceu, livrou-se de suas roupas de operário, tornou-se novamente o jovem pintor inglês que era antes e se apresentou ao tabelião de Eguzon, a maior vila da região.

Falou que gostava do lugar e que, se encontrasse um lar adequado, ficaria feliz em morar lá com seus pais. O tabelião indicou várias áreas. Beautrelet insinuou que havia sido informado sobre o castelo da Agulha, ao norte de Creuse.

– De fato, mas o castelo da Agulha, que pertence a um de meus clientes há cinco anos, não está à venda.

– Ele mora lá então?

– Ele morava lá, ou melhor, sua mãe. Mas esta última, por achar o castelo um pouco triste, não gostava. De sorte que eles o deixaram no ano passado.

– E ninguém mora lá?

– Sim, um italiano, a quem meu cliente o alugou para o verão, o barão Anfredi.

– Ah! O barão Anfredi, um homem ainda jovem, um tanto pedante...

– Bem, eu não sei nada a esse respeito... Meu cliente tratou diretamente. Não houve contrato... apenas uma carta...

– Mas o senhor conhece o barão?

– Não, ele nunca sai do castelo... De carro, às vezes, e à noite, ao que parece. As compras são feitas por uma cozinheira velha que não fala com ninguém. Pessoas esquisitas...

– Seu cliente concordaria em vender o castelo?

– Não creio. É um castelo histórico, no mais puro estilo Luís XIII. Meu cliente gostava muito dele, e se não mudou de opinião...

– O senhor pode me dar o nome dele?

– Louis Valméras, 34, Rue du Mont-Thabor.

Beautrelet pegou o trem para Paris na estação mais próxima. Dois dias depois, após três visitas sem sucesso, enfim encontrou Louis Valméras. Era um homem de cerca de trinta anos, com um rosto franco e simpático. Beautrelet, julgando desnecessário usar de rodeios, claramente se deu a conhecer e descreveu seus esforços e o objetivo de seu procedimento.

– Tenho todos os motivos para acreditar – conclui ele –, que meu pai está preso no castelo da Agulha, provavelmente na companhia de outras vítimas. E venho lhe perguntar o que sabe sobre seu inquilino, o barão Anfredi.

– Pouca coisa. Conheci o barão Anfredi no inverno passado em Monte Carlo. Ao saber, por acaso, que eu era dono de um castelo, e como queria passar o verão na França, fez-me ofertas de locação.

– É um homem ainda jovem...

– Sim, olhos muito enérgicos, cabelos loiros.

– Barba?

– Sim, terminada por duas pontas que caem sobre colarinho falso, o qual se fecha por trás, como o colarinho de um clérigo. Além disso, ele se parece um pouco com um padre inglês.

– É ele – murmurou Beautrelet –, é ele, como eu o vi, é sua descrição exata.

– Sério?... O senhor acha?...

– Acho, estou certo de que seu inquilino não é outro senão Arsène Lupin.

A história divertiu Louis Valméras. Ele conhecia todas as aventuras de Lupin e as peripécias de sua luta com Beautrelet. Esfregou as mãos.

– Vamos, o castelo da Agulha vai ficar famoso... o que não me desagrada, porque afinal, como minha mãe já não mora lá, sempre tive a ideia de me livrar dele na primeira oportunidade. Depois disso, vou encontrar um comprador. Só que...

– Só que?

– Peço-lhe que aja com a máxima cautela e que notifique a polícia apenas quando houver toda certeza. Veja que meu inquilino pode não ser Lupin...

Beautrelet expôs seu plano. Iria sozinho à noite, transporia os muros, se esconderia no parque.

Louis Valméras o interrompeu imediatamente.

– Não será fácil transpor muros daquela altura. Se conseguir fazer isso, será saudado por dois enormes mastins que pertencem à minha mãe e que deixei no castelo.

– Bah! Uma almôndega...

– Muito obrigado! Mas suponhamos que escape deles. E depois? Como entrará no castelo? As portas são maciças, as janelas têm grades. E, além disso, depois de entrar, quem o guiaria? Existem oitenta quartos.

– Sim, mas esse quarto com duas janelas no segundo andar?...

– Eu o conheço, nós o chamamos de quarto das Glicínias. Mas como o encontrará? Existem três escadas e um labirinto de corredores. Não importa quanto eu o oriente, quanto eu lhe explique o caminho a seguir, você se perderá.

– Venha comigo – disse Beautrelet rindo.

– Impossível. Prometi a minha mãe me juntar a ela no Sul.

Beautrelet voltou para a casa do amigo que lhe oferecera hospitalidade e começou seus preparativos. Mas no final do dia, quando se dispunha a partir, recebeu a visita de Valméras.

– Ainda quer minha companhia?

– Sim, quero!

– Pois bem! Vou acompanhá-lo. Sim, a expedição me tenta. Acho que não vamos ficar entediados, e me diverte estar envolvido em tudo isso... E além disso minha ajuda não lhe será inútil. Veja, eis já um começo de colaboração.

Ele mostrou uma grande chave, toda enferrujada e de aspecto venerável.

– E essa chave abre?... – perguntou Beautrelet.

– Uma pequena porta escondida entre dois contrafortes, abandonada durante séculos, e que nem me dei ao trabalho de indicar ao meu inquilino. Ela dá para o campo, precisamente na orla do bosque...

Beautrelet o interrompeu abruptamente.

– Eles a conhecem, essa saída. Com certeza foi por ela que o indivíduo que eu estava seguindo penetrou no parque. Vamos, o jogo está bom e vamos vencê-lo. Mas, droga, vamos ter de jogar com cautela!

Dois dias depois, no passo de um cavalo famélico, uma carroça de ciganos chegava a Crozant, e seu condutor obteve permissão para estacionar no final do vilarejo, sob um antigo galpão deserto. Além do condutor, ninguém menos que Valméras, havia três jovens que se ocupavam em trançar poltronas de vime: Beautrelet e dois de seus colegas do liceu Janson.

Eles ficaram lá por três dias, esperando por uma noite propícia e rondando isoladamente os arredores do parque. Uma vez, Beautrelet viu a pequena porta. Instalada entre dois contrafortes, ela quase se confundia, por trás do véu de espinheiros que a mascarava, com o desenho formado pelas pedras da muralha. Finalmente, na quarta noite, o céu encheu-se de grandes nuvens negras e Valméras decidiu que iriam fazer um reconhecimento, mesmo que isso significasse voltar se as circunstâncias não fossem favoráveis.

Todos os quatro cruzaram o pequeno bosque. Então, Beautrelet rastejou entre as urzes, esfolou as mãos na sebe de espinheiros e, meio que se erguendo, lentamente, com gestos contidos, enfiou a chave na fechadura. Girou-a lentamente. A porta iria se abrir com seu esforço? Não havia um ferrolho do outro lado? Ele empurrou, a porta se abriu, sem ranger, suavemente. Ele estava no parque.

– Está aí, Beautrelet? – perguntou Valméras. – Espere por mim. Vocês dois, meus amigos, vigiem a porta para que nossa saída não seja impedida. Ao menor alerta, apitem uma vez.

Ele pegou a mão de Beautrelet e os dois se afundaram na sombra espessa dos matagais. Um espaço mais claro se ofereceu para eles quando chegaram à beira do gramado central. No mesmo instante, um raio de luar se filtrou e eles divisaram o castelo com seus campanários pontiagudos dispostos em torno daquela flecha afilada à qual, sem dúvida, devia seu nome. Nenhuma luz nas janelas. Nenhum barulho. Valméras agarrou o braço de seu companheiro.

– Cale-se.

– O quê?

– Os cachorros ali... você vê...

Um rosnado se fez ouvir. Valméras assobiou muito baixo. Duas silhuetas brancas pularam e em quatro saltos caíram aos pés do seu dono.

– Quietinhos, meninos... deitem... isso... não se mexam...

E ele disse a Beautrelet:

– E agora, vamos, estou tranquilo.

– Tem certeza do caminho?

– Sim. Estamos nos aproximando do terraço.

– Mas e daí?

– Lembro-me que à esquerda, num local onde o terraço, que dá para o rio, se eleva ao nível das janelas do térreo, existe uma janela que não fecha bem e que pode ser aberta pelo exterior.

De fato, quando eles chegaram, sob pressão, a janela cedeu. Com uma ponta de diamante, Valméras cortou um quadrado do vidro. Girou o trinco. Um após o outro, eles cruzaram o balcão. Agora, estavam no castelo.

– O cômodo em que estamos – diz Valméras –, fica no final do corredor. Depois, há um enorme vestíbulo decorado com estátuas e, no final desse vestíbulo, uma escada que leva ao quarto ocupado por seu pai.

Deu um passo à frente.

– Você vem, Beautrelet?

– Sim. Sim.

– Mas não, você não está vindo... O que você tem?

Ele agarrou-lhe a mão. Ela estava gelada e ele percebeu que o jovem estava agachado no chão.

– O que tem? – ele repetiu.

– Nada... vai passar.

– Mas enfim...

Arsène Lupin e a Agulha Oca

– Estou com medo...

– Está com medo!

Sim – admitiu Beautrelet ingenuamente... são meus nervos que vacilam... Muitas vezes consigo controlá-los... mas hoje, o silêncio... a emoção... E então, desde que o escrivão me esfaqueou... Mas vai passar... vamos, isso passa...

De fato, ele conseguiu se levantar, e Valméras o conduziu para fora do quarto. Seguiram tateando ao longo de um corredor, com tanta suavidade que nenhum deles percebia a presença do outro. Uma luz fraca, entretanto, parecia iluminar o vestíbulo para o qual estavam indo. Valméras enfiou a cabeça. Era uma lamparina colocada na parte inferior da escada, sobre uma mesa de pedestal que podia ser vista através dos frágeis galhos de uma palmeira.

– Pare! – Valméras sussurrou.

Perto da lamparina estava um homem de sentinela, de pé, segurando uma espingarda. Ele os teria visto? Talvez. Pelo menos algo deve tê-lo preocupado, pois ele se empertigou.

Beautrelet havia caído de joelhos contra um vaso com um arbusto e não se mexia mais, o coração disparando no peito. Porém, o silêncio e a imobilidade das coisas tranquilizaram o sentinela. Ele baixou a arma. Mas sua cabeça permaneceu voltada para o vaso do arbusto.

Minutos amedrontadores se passaram, dez, quinze. Um raio de luar se introduzira por uma janela na escada. E de repente Beautrelet percebeu que o raio se deslocava imperceptivelmente e que, em menos de quinze, dez minutos, estaria em cima dele, clareando em cheio sua face. Gotas de suor escorreram-lhe do rosto para as mãos trêmulas.

A angústia era tanta que ele esteve a ponto de se levantar e fugir. Mas, lembrando-se de que Valméras estava ali, olhou em volta à sua procura e ficou pasmo ao vê-lo, ou melhor, ao adivinhá-lo se arrastando nas sombras ao abrigo dos arbustos e das estátuas. Já estava chegando ao pé da escada, a alguns passos da sentinela. O que ia fazer? Passar mesmo assim? Subir sozinho para libertar o prisioneiro? Mas ele conseguiria passar? Beautrelet não o via mais e teve a impressão de que algo ia acontecer, algo que o silêncio, mais pesado, mais terrível, também parecia pressentir.

E de repente uma sombra salta sobre o homem, a lamparina se apaga, há o som de uma luta... Beautrelet acorreu. Os dois corpos tinham rolado sobre as lajes. Ele quis se inclinar. Mas ouviu um gemido rouco, um suspiro e imediatamente um dos adversários se levantou e agarrou-lhe o braço.

– Depressa... Vamos!

Era Valméras.

Subiram dois andares e desembocaram na entrada de um corredor coberto por um tapete.

– À direita – sussurrou Valméras. – O quarto cômodo à esquerda.

Logo eles encontraram a porta desse quarto. Como esperavam, o prisioneiro estava trancado à chave. Demorou meia hora, meia hora de esforços abafados, tentativas em surdina de forçar a fechadura. Finalmente eles entraram. Tateando, Beautrelet encontrou a cama. Seu pai estava dormindo. Ele o acordou suavemente.

– Sou eu, Isidore... e um amigo... Não tenha medo... Levante-se... Nem uma palavra...

O pai se vestiu, mas na hora de sair disse-lhes em voz baixa:

– Não estou sozinho no castelo...

– Ah! Então quem? Ganimard? Sholmes?

– Não... pelo menos não os vi.

– Então?

– Uma jovem.

– A senhorita de Saint-Véran, sem dúvida?

– Não sei... Eu a vi de longe várias vezes no parque... e além disso, quando me debruço na minha janela, vejo a dela... Ela me fez sinais.

– Sabe onde fica o quarto dela?

– Sim, neste corredor, o terceiro à direita.

– O quarto azul – murmurou Valméras. – A porta tem dois batentes, teremos menos problemas.

De fato, muito rapidamente, um dos batentes cedeu. Foi o velho Beautrelet quem se encarregou de avisar a jovem.

Dez minutos depois, ele saiu da sala com ela e disse ao filho:

– Você estava certo... É a senhorita de Saint-Véran.

Os quatro desceram. Ao pé da escada, Valméras parou e se inclinou sobre o homem, conduzindo-os depois até o quarto do terraço:

– Ele não está morto, ele vai viver.

– Ah! – disse Beautrelet com alívio.

– Felizmente, a lâmina da minha faca dobrou... o golpe não é fatal. E, além do mais, esses patifes não merecem piedade.

Do lado de fora, foram saudados pelos dois cães que os acompanharam até a pequena porta. Lá Beautrelet reencontrou seus dois amigos. A pequena tropa deixou o parque. Eram três da manhã.

Essa primeira vitória não podia ser suficiente para Beautrelet. Assim que instalou o pai e a jovem, perguntou-lhes sobre as pessoas que viviam no castelo e, em particular, sobre os hábitos de Arsène Lupin. Soube que Lupin só vinha a cada três ou quatro dias, chegando à noite de carro e partindo pela manhã. Em cada uma de suas viagens, visitava os dois prisioneiros, e ambos concordavam em elogiar sua consideração e sua extrema afabilidade. No momento, ele não devia estar no castelo.

Além dele, só tinham visto uma velha senhora, que fazia as vezes de cozinheira e arrumadeira, e dois homens que os vigiavam alternadamente e não falavam com eles. A julgar por seus modos e suas fisionomias, eram obviamente subalternos.

– Dois cúmplices de qualquer forma – concluiu Beautrelet, ou melhor, três, com a velha senhora. É uma caça que não deve ser desprezada. E se não perdermos tempo...

Pegou uma bicicleta, correu para o vilarejo de Eguzon, acordou a polícia, pôs todos em polvorosa, fez soar o toque de clarim e voltou a Crozant às oito horas, seguido pelo sargento e por seis policiais

Dois desses homens permaneceram de vigia perto da carroça. Dois outros se postaram em frente à pequena porta. Os quatro últimos, comandados por seu chefe e acompanhados de Beautrelet e Valméras, dirigiram-se à entrada principal do castelo. Tarde demais. A porta estava totalmente aberta. Um camponês lhes disse que uma hora antes vira um automóvel sair do castelo.

De fato, a busca não produziu nenhum resultado. Com toda probabilidade, o bando devia ter se estabelecido lá de forma provisória. Foram encontrados alguns objetos pessoais, roupas e utensílios domésticos, e isso foi tudo.

O que mais espantou Beautrelet e Valméras foi o desaparecimento do ferido. Não conseguiram identificar o menor vestígio de luta, nem mesmo uma gota de sangue nas lajes do vestíbulo.

Em suma, nenhum testemunho material poderia ter comprovado a passagem de Lupin pelo castelo da Agulha, e se teria tido o direito de contestar as afirmações de Beautrelet e de seu pai, de Valméras e da senhorita de Saint-Véran, se não tivessem descoberto, numa sala adjacente àquela que a jovem ocupava, meia dúzia de admiráveis buquês nos quais estavam pregados cartões de visita de Arsène Lupin. Buquês desprezados por ela, murchos, esquecidos... Um deles, além do cartão de visita, trazia uma carta que Raymonde não tinha visto. À tarde, quando esta carta foi aberta pelo juiz de instrução, encontraram-se ali dez páginas de preces, súplicas, promessas, ameaças, desespero, toda a loucura de um amor que sempre só conheceu desprezo e repulsa. E a carta terminava assim: "Irei terça-feira à noite, Raymonde. Até lá, pense a respeito. Por mim, estou decidido a tudo".

A noite de terça-feira fora a própria noite em que Beautrelet tinha acabado de libertar a senhorita de Saint-Véran.

Vale lembrar a tremenda explosão de surpresa e de entusiasmo que irrompeu em todo o mundo com a notícia desse desfecho inesperado: a senhorita de Saint-Véran livre! A jovem que Lupin cobiçava, pela qual ele havia arquitetado suas combinações mais maquiavélicas, arrancada de suas garras! Também livre o pai de Beautrelet, aquele que Lupin, em seu desejo exagerado por um armistício necessário pelas exigências de sua paixão, aquele que Lupin havia escolhido como refém. Ambos livres, os dois prisioneiros!

E o segredo da Agulha, que se havia pensado ser impenetrável, conhecido, publicado, lançado aos quatro cantos do universo!

Realmente, a multidão se divertiu. Cantou-se sobre o aventureiro vencido. "Os amores de Lupin", "Os soluços de Arsène!…", "O ladrão apaixonado", "Queixumes do batedor de carteiras". Isso era entoado nos bulevares, cantarolado na oficina.

Pressionada por perguntas, perseguida pelos jornalistas, Raymonde respondeu com a mais extrema reserva. Mas a carta estava lá, e os buquês de flores, e toda a lamentável aventura!

Lupin, achincalhado, ridicularizado, caiu de seu pedestal. E Beautrelet foi o ídolo. Ele tinha visto tudo, previsto tudo, esclarecido tudo. O depoimento que a senhorita de Saint-Véran prestou perante o juiz de instrução sobre seu sequestro confirmou a hipótese que o jovem tinha imaginado. Em todos os pontos, a realidade parecia se submeter ao que ele decretara anteriormente. Lupin havia encontrado seu mestre.

Beautrelet exigiu que seu pai, antes de retornar às suas montanhas na Saboia, tirasse alguns meses de descanso ao sol, e ele próprio o levou, assim como a senhorita de Saint-Véran, para os arredores de Nice, onde o conde de Gesvres e sua filha Suzanne estavam instalados para passar o inverno. Dois dias depois, Valméras trouxe sua mãe para junto de seus novos amigos, e eles formaram uma pequena colônia, agrupada em torno da casa de Gesvres e vigiada noite e dia por meia dúzia de homens contratados pelo conde.

No início de outubro, Beautrelet, estudante de retórica, foi a Paris para retomar os estudos e se preparar para os exames. E a vida recomeçou, dessa vez calma e sem incidentes. O que poderia acontecer? A guerra não acabara?

Lupin, por seu lado, devia ter a sensação clara de que só tinha de se resignar ao fato consumado, pois um belo dia suas duas outras vítimas, Ganimard e Herlock Sholmes, reapareceram. De resto, o retorno deles à vida deste mundo careceu totalmente de prestígio. Foi um catador de trapos que os recolheu, no Quai des Orfèvres, em frente à Delegacia de Polícia, ambos adormecidos e amarrados.

Depois de uma semana de total aturdimento, eles conseguiram retomar o rumo de suas ideias e contaram – ou melhor, Ganimard contou, porque Sholmes se fechou em um mutismo feroz – que haviam realizado, a bordo do iate *L'Hirondelle*, uma viagem de circum-navegação pela África, uma viagem encantadora e instrutiva, na qual podiam se considerar livres, exceto em certas horas que passavam no fundo do porão, enquanto a tripulação descia em portos exóticos. Quanto ao desembarque no Quai des Orfèvres, eles não se lembravam de nada, adormecidos sem dúvida havia vários dias.

Essa liberação era uma admissão de derrota. E, sem lutar mais, Lupin a proclamava sem restrições.

Além disso, um acontecimento tornou-a ainda mais estridente: foi o noivado de Louis Valméras com a senhorita de Saint-Véran. Na intimidade que as condições atuais de sua existência criavam entre eles, os dois jovens se apaixonaram. Valméras amou o encanto melancólico de Raymonde, e esta, ferida pela vida, ávida por proteção, admirou a força e a energia daquele que tão valentemente contribuíra para sua salvação.

O dia do casamento foi aguardado com alguma ansiedade. Lupin não tentaria retomar a ofensiva? Aceitaria de boa vontade a perda irreparável da mulher que amava? Duas ou três vezes pessoas com rostos suspeitos foram vistas rondando a casa, e uma noite o próprio Valméras teve de se defender contra um suposto bêbado que disparou contra ele um tiro de pistola e atravessou seu chapéu com uma bala. Mas, no final, a cerimônia foi realizada no dia e na hora marcados, e Raymonde de Saint-Véran tornou-se a senhora Louis Valméras.

Era como se o próprio destino tivesse ficado do lado de Beautrelet e referendado o certificado de sua vitória. A multidão sentiu isso tão bem que foi nesse momento que surgiu entre seus admiradores a ideia de um grande banquete para celebrar seu triunfo e o esmagamento de Lupin. Uma ideia maravilhosa e que despertou entusiasmo. Em quinze dias, houve trezentas adesões. Convites foram enviados aos liceus de Paris, à razão de dois alunos por classe de retórica. A imprensa entoou hinos. E o banquete foi o que não poderia deixar de ser, uma apoteose.

Mas uma apoteose charmosa e simples, pois Beautrelet era seu herói. Sua presença bastou para colocar as coisas em suas devidas medidas. Ele se mostrou modesto como sempre, um pouco surpreso com os excessivos "vivas", um pouco constrangido com os elogios hiperbólicos com que se afirmava sua superioridade sobre os mais ilustres policiais... um pouco constrangido, mas também muito emocionado. Disse isso em poucas palavras que agradaram a todos e com a perturbação de uma criança que enrubesce ao ser olhada. Falou de sua alegria, de seu orgulho. E realmente, por mais razoável, por mais dono de si mesmo que fosse, ele experimentou ali inesquecíveis momentos de enlevo. Sorria para os amigos, para os colegas do liceu Janson, para Valméras, que tinha vindo especialmente para o aplaudir, para o senhor de Gesvres, para seu pai.

Então, quando ele estava terminando de falar e ainda segurava o copo na mão, ouviu-se um som de vozes no fundo da sala e alguém foi visto gesticulando, agitando um jornal. O silêncio foi restabelecido, o importuno sentou-se novamente, mas um frêmito de curiosidade se espalhava pela mesa, o jornal passava de mão em mão, e cada vez que um dos convivas batia os olhos na página oferecida, ouviam-se exclamações.

– Leia! Leia! – gritavam do lado oposto.

Na mesa de honra, as pessoas se levantaram. O velho Beautrelet foi pegar o jornal e o entregou ao filho.

– Leia! Leia! – gritavam mais alto.

E outros diziam:

– Escutem então! Ele vai ler... escutem!

Beautrelet, em pé diante do público, procurava com os olhos no jornal vespertino que seu pai lhe dera o artigo que causava tanto alvoroço e, de repente, vendo um título sublinhado a lápis azul, levantou a mão para exigir silêncio. E leu com uma voz que a emoção alterava cada vez mais estas revelações surpreendentes que reduziam a nada todos os seus esforços, perturbavam suas ideias sobre a Agulha Oca e marcavam o caráter vão de sua luta contra Arsène Lupin:

Carta aberta do senhor Massiban, da Academia das Inscrições e Belas-Letras.

Senhor diretor,

Em 17 de março de 1679 – ressalto a data de 1679, isto é, sob Luís XIV –, um livro muito pequeno foi publicado em Paris com este título:

O MISTÉRIO DA AGULHA OCA

Toda a verdade denunciada pela primeira vez.

Cem exemplares impressos por mim mesmo e para instrução do Tribunal.

Às nove horas da manhã, neste dia 17 de março, o autor, um homem muito jovem, bem vestido, cujo nome não se sabe, começou a entregar esse livro nas residências dos principais personagens da Corte. Às dez horas, quando já havia completado quatro dessas entregas, foi detido por um capitão da guarda, que o levou ao gabinete do rei e saiu de imediato em busca dos quatro exemplares distribuídos. Quando as cem cópias foram reunidas, contadas, cuidadosamente folheadas e verificadas, o próprio rei as jogou no fogo, exceto uma que conservou em seu poder. Em seguida, ele instruiu o capitão da guarda a levar o autor do livro ao senhor de Saint-Mars, que trancou seu prisioneiro primeiro em Pignerol, depois na fortaleza da ilha Sainte-Marguerite. Esse homem obviamente não era outro senão o famoso homem da Máscara de Ferro.

A verdade, ou pelo menos parte dela, nunca teria sido conhecida se o capitão da guarda que assistira à conversa, aproveitando um momento em que o rei se virou, não tivesse tido a tentação de retirar da lareira, antes que o fogo o alcançasse, outro dos exemplares. Seis meses depois, esse capitão foi encontrado na estrada de Gaillon para Mantes. Seus assassinos o haviam despido de todas as suas roupas, esquecendo, porém, no bolso direito uma joia que mais tarde se descobriu ali, um diamante da mais extraordinária pureza, de considerável valor.

Em seus papéis, foi encontrada uma nota escrita à mão. Ela não mencionava o livro arrancado das chamas, mas fazia um resumo dos primeiros capítulos. Tratava-se de um segredo que foi conhecido pelos reis da Inglaterra, perdido por eles quando a coroa do pobre e louco Henrique VI passou para a cabeça do duque de York, revelado ao rei da França Carlos VII por Joana d'Arc, e que, tendo se tornado segredo de Estado, foi transmitido de soberano a soberano por carta lacrada a cada vez, que era encontrada no leito de morte do falecido com a seguinte menção: "Para o rei da França". Esse segredo dizia respeito à existência e determinava a localização de um tesouro formidável, possuído pelos reis, e que aumentava a cada século.

Mas cento e catorze anos depois, Luís XVI, prisioneiro no Templo, chamou de lado um dos oficiais que eram responsáveis por vigiar a família real e lhe disse:

– O senhor não teve, sob meu avô, o grande rei, um ancestral que servia como capitão da guarda?

– Sim, senhor.

– Bem, o senhor seria homem... o senhor seria homem...

Ele hesitou. O oficial terminou a frase.

– Para não o trair? Oh, senhor!

– Então, escute.

O rei tirou do bolso um livrinho, do qual arrancou uma das últimas páginas. Mas, mudando de ideia:

– Não, é melhor eu copiar...

Pegou uma grande folha de papel que rasgou, deixando apenas um pequeno espaço retangular no qual copiou cinco linhas de pontos, linhas e números que havia na página impressa. Depois de ter queimado esta, dobrou a folha escrita à mão em quatro e lacrou-a com cera vermelha.

– Senhor, depois da minha morte, o senhor vai dar isto à rainha, e vai dizer a ela: "Da parte do rei, senhora... para vossa Majestade e para seu filho..." Se ela não entender...

– Se ela não entender?...

*– O senhor vai acrescentar: 'Trata-se do segredo da Agulha".
A rainha vai entender.*

Tendo falado, ele jogou o livro entre as brasas que avermelhavam na lareira.

Em 21 de janeiro, ele subia no cadafalso.

Demorou dois meses para o oficial, após a transferência da rainha para a Conciergerie, cumprir a missão da qual fora encarregado. Finalmente, por força de intrigas tortuosas, ele conseguiu um dia encontrar-se na presença de Maria Antonieta. Ele lhe disse de modo que só ela conseguisse ouvir:

– Do falecido rei, senhora, para Vossa Majestade e seu filho.

E lhe entregou a carta lacrada.

Ela certificou-se de que os guardas não pudessem vê-la, quebrou os lacres, pareceu surpresa com as linhas indecifráveis, então, imediatamente, pareceu entender. Ela sorriu amargamente, e o oficial ouviu estas palavras:

– Por que tão tarde?

Ela hesitou. Onde esconder aquele documento perigoso? Finalmente, abriu seu livro de orações e, em uma espécie de bolso secreto inserido entre o couro encadernado e o pergaminho que ele cobria, enfiou a folha de papel.

– Por que tão tarde?... – ela havia dito.

É provável, de fato, que esse documento, se tivesse sido capaz de lhe trazer a salvação, chegava tarde demais, pois, no mês de outubro seguinte, era a vez de a rainha Maria Antonieta subir no cadafalso.

Ora, esse oficial, folheando os papéis de sua família, encontrou a nota manuscrita de seu bisavô, capitão da guarda de Luís XIV. Daquele momento em diante, ele teve apenas uma ideia, que era dedicar seu tempo livre para resolver aquele estranho problema. Ele leu todos os autores latinos, percorreu todas as crônicas da França e as dos países vizinhos, introduziu-se nos mosteiros, decifrou os livros de contabilidade, os de cartórios, os tratados, e foi assim capaz de encontrar certas citações esparsas ao longo dos tempos.

No livro III dos Comentários de César sobre a Guerra da Gália, conta-se que, após a derrota de Viridovix por G. Titulius Sabinus, o chefe dos Calcetas foi levado perante César e, como pagamento de resgate, revelou o segredo da Agulha...

O tratado de Saint-Clair-sur-Epte, entre Carlos, o Simples, e Roll, chefe dos bárbaros do Norte, faz com que o nome de Roll seja seguido de todos os seus títulos, entre os quais lemos mestre do segredo da Agulha.

A crônica saxã (edição de Gibson, página 134) falando de Guilherme, o Vigoroso (Guilherme, o Conquistador) diz que a haste de seu estandarte terminava em uma ponta afiada e perfurada com uma fenda na forma de uma agulha...

Em uma frase um tanto ambígua durante seu interrogatório, Joana d'Arc confessa que ainda tem uma coisa secreta a dizer ao rei da França, ao que seus juízes respondem: "Sim, sabemos do que se trata, e é por isso, Joana, que você vai morrer".

– Pela virtude da Agulha – jura às vezes o bom rei Henrique IV.

Anteriormente, Francisco I, discursando para os notáveis de Le Havre em 1520, pronunciou esta frase que nos foi transmitida pelo diário de um burguês de Honfleur:

"Os reis da França carregam segredos que regulam a conduta das coisas e o destino das cidades".

Todas essas citações, senhor Diretor, todos os relatos ligados ao Máscara de Ferro, ao capitão da guarda e a seu bisneto, encontrei--os hoje em uma brochura escrita justamente por esse bisneto e publicada em junho de 1815, na véspera ou no dia seguinte a Waterloo, ou seja, em um período de convulsão, quando as revelações que continha deviam passar despercebidas.

De que vale essa brochura? Nada, me dirá o senhor, e não devemos lhe dar nenhum crédito. Esta é minha primeira impressão; mas qual foi a minha surpresa, ao abrir os Comentários *de César no capítulo indicado e descobrir a frase encontrada na brochura! A mesma observação em relação ao tratado de Saint-Clair-sur-Epte, a crônica saxã, o interrogatório de Joana d'Arc, enfim, tudo que me foi possível verificar até agora.*

Finalmente, há um fato ainda mais preciso que o autor da brochura de 1815 relata. Durante a campanha da França, oficial de Napoleão, ele tocou uma noite, tendo seu cavalo sido morto, à porta de um castelo onde foi recebido por um velho cavaleiro de São Luís. Pouco a pouco soube ao conversar com o ancião que esse castelo, situado à margem do Creuse, se chamava castelo da Agulha, que tinha sido construído e batizado por Luís XIV, e que, por sua ordem expressa, fora adornado com campanários e uma flecha que representava a agulha. Como data constava... deve constar ainda 1680.

1680! Um ano após a publicação do livro e a prisão do Máscara de Ferro. Tudo se explicava: Luís XIV, prevendo que o segredo pudesse ser espalhado, construiu e batizou esse castelo para oferecer aos curiosos uma explicação natural do antigo mistério. A Agulha Oca! Um castelo com campanários pontiagudos, localizado à margem do Creuse e pertencente ao rei. De imediato, acreditava-se ter encontrado a palavra do enigma e as buscas cessavam!

O cálculo estava correto, pois, mais de dois séculos depois, Beautrelet caiu na armadilha. E é aí que eu queria chegar, senhor Diretor, ao lhe escrever esta carta. Se Lupin, sob o nome de Anfredi, alugou o castelo da Agulha do senhor Valméras nas margens do Creuse, se ele alojou seus dois prisioneiros ali, foi porque admitia o sucesso das inevitáveis buscas do senhor Beautrelet, e, para obter a paz que havia pedido, ele preparava precisamente para o senhor Beautrelet o que podemos chamar de armadilha histórica de Luís XIV.

E daí somos levados a uma conclusão irrefutável, que ele, Lupin, com suas únicas luzes, sem conhecer nenhum outro fato além dos que conhecemos, chegou, pelo encanto de um gênio verdadeiramente extraordinário, a decifrar o indecifrável documento; é que Lupin, último herdeiro dos reis da França, conhece o mistério real da Agulha Oca.

Ali terminava o artigo. Mas, havia alguns minutos, desde a passagem referente ao castelo da Agulha, não era mais Beautrelet quem o lia. Compreendendo sua derrota, esmagado pelo peso da humilhação sofrida, ele deixara cair o jornal e desabara na cadeira, o rosto enterrado nas mãos.

Ofegantes e sacudidos por essa história incrível, todos tinham se aproximado gradualmente e agora se aglomeravam ao redor dele. Esperava-se com angústia trêmula as palavras que ele ia responder, as objeções que ia levantar.

Ele não se mexeu.

Com um gesto gentil, Valméras descruzou-lhe as mãos e lhe ergueu a cabeça.

Isidore Beautrelet estava chorando.

O TRATADO DA AGULHA

São quatro da manhã. Isidore não voltou ao liceu. Não voltará a ele até o fim da guerra impiedosa que declarou contra Lupin. Ele jurou isso em voz baixa, enquanto seus amigos o levavam embora de carro, todo abatido e magoado. Juramento insensato! Guerra absurda e ilógica! Que pode ele pode fazer, ele, uma criança isolada e desarmada, contra tal fenômeno de energia e poder? Por onde atacá-lo? Ele é inatacável. Onde feri-lo? Ele é invulnerável. Onde alcançá-lo? Ele é inacessível.

Quatro da manhã... Isidore aceitou novamente a hospitalidade de seu colega do liceu Janson. Em pé em frente à lareira de seu quarto, com os cotovelos bem apoiados no mármore, os dois punhos cerrados no queixo, ele olha para a imagem que o espelho lhe devolve.

Não chora mais, não quer mais chorar, nem se contorcer na cama, nem se desesperar, como vem fazendo há duas horas. Ele quer refletir, refletir e compreender.

E seus olhos não abandonam seus olhos no espelho, como se ele esperasse duplicar a força do seu pensamento ao contemplar sua imagem pensativa e encontrar no fundo desse ser a solução insolúvel que não encontra em si mesmo. Até as seis ele permanece assim. E é aos poucos que, livre de todos os detalhes que a complicam e a obscurecem, a questão se apresenta em sua mente nua e crua, com o rigor de uma equação.

Sim, ele se enganara. Sim, sua interpretação do documento está errada. A palavra "agulha" não se refere ao castelo à margem do Creuse. Da mesma forma, a palavra *demoiselles* [senhoritas] não pode ser aplicada a Raymonde de Saint-Véran e sua prima, pois o texto do documento remonta a séculos.

Então tudo tem de ser refeito. Como?

Uma única base de documentação seria sólida: o livro publicado sob Luís XIV. No entanto, dos cem exemplares impressos por aquele que devia ser o Máscara de Ferro, apenas dois escaparam das chamas. Um foi roubado pelo capitão da guarda e perdido. O outro foi guardado por Luís XIV, transmitido a Luís XV e queimado por Luís XVI. Mas resta uma cópia da página essencial, aquela que contém a solução do problema, ou pelo menos a solução criptográfica, aquela que foi levada a Maria Antonieta e furtivamente guardada por ela sob a capa de seu livro de orações.

O que aconteceu com esse papel? É aquele que Beautrelet teve nas mãos e que Lupin ordenou ao escrivão Brédoux que o trouxesse de volta? Ou ainda se encontra no livro de orações de Maria Antonieta?

E a pergunta volta a ser esta: "O que aconteceu com o livro de orações da rainha?".

Depois de alguns momentos de descanso, Beautrelet questionou o pai de seu amigo, um colecionador emérito, muitas vezes chamado de especialista a título não oficial, e a quem, até recentemente, o diretor de um de nossos museus consultava para a elaboração de seu catálogo.

– O livro de orações de Maria Antonieta? – exclamou ele. – Foi legado pela rainha à sua camareira, que ficou com a missão secreta de entregá-lo ao conde de Fersen. Piedosamente preservado na família do conde, está há cinco anos em uma vitrine.

– Em uma vitrine?

– Do museu Carnavalet, simplesmente.

– E esse museu vai abrir?...

– Em vinte minutos.

No exato minuto em que se abria a porta do antigo palacete da senhora de Sévigné, Isidore saltava do carro com o amigo.

– Vejam, é o senhor Beautrelet!

Dez vozes saudaram sua chegada. Para sua grande surpresa, ele reconheceu toda a tropa dos repórteres que acompanhavam o "caso da Agulha Oca". E um deles exclamou:

– Engraçado, hein!? Todos nós tivemos a mesma ideia. Atenção, pois Arsène Lupin pode estar entre nós.

Eles entraram juntos. O diretor, imediatamente informado, colocou-se à inteira disposição deles, conduziu-os até a vitrine e mostrou-lhes um volume modesto, sem o menor enfeite, e que certamente nada tinha de régio. Ainda assim, um pouco de emoção os invadiu ao ver aquele livro que a rainha havia tocado em dias tão trágicos, que seus olhos vermelhos de lágrimas tinham percorrido... E não ousavam pegá-lo e folheá-lo, como se considerassem isso um sacrilégio...

– Venha, senhor Beautrelet, é uma tarefa que lhe compete.

Ele pegou o livro com um gesto ansioso. A descrição correspondia bem ao que o autor da brochura tinha feito. Primeiro, uma capa de pergaminho, pergaminho sujo, enegrecido, desgastado em alguns lugares, e, por baixo, a capa verdadeira, de couro rígido.

Com que arrepio Beautrelet procurou pelo bolso secreto! Seria uma fábula? Ou ele ainda encontraria o documento escrito por Luís XVI e legado pela rainha a seu amigo fervoroso?

Na primeira página, na parte superior do livro, nenhum esconderijo.

– Nada – murmurou ele.

– Nada – repetiram, palpitantes, os outros.

Mas na última página, depois de forçar um pouco a abertura do livro, ele viu imediatamente que o pergaminho se descolava da capa. Deslizou os dedos... Algo, sim, ele sentiu algo... um papel...

– Oh! – ele disse vitoriosamente. – Aqui está... é possível!

– Rápido! Rápido! – gritaram para ele. – O que está esperando?

Ele puxou uma folha, dobrada ao meio.

– Então, leia!... Há palavras em tinta vermelha... vejam... parece sangue... sangue muito pálido... leia então!

Ele leu:

Para você, Fersen. Para meu filho, 16 de outubro de 1793... Maria Antonieta.

E de repente, Beautrelet soltou uma exclamação de espanto. Sob a assinatura da rainha havia... havia, em tinta preta, duas palavras sublinhadas... duas palavras: "Arsène Lupin".

Cada um deles, alternadamente, pegou a folha, e o mesmo grito escapava de imediato:

– Maria Antonieta... Arsène Lupin!

Um silêncio os uniu. Aquela dupla assinatura, aqueles dois nomes acoplados, descobertos no fundo do livro de orações, aquela relíquia em que havia mais de um século dormia o apelo desesperado da pobre rainha, aquela data horrível, 16 de outubro de 1793, dia em que caiu a cabeça real, tudo era tragicamente triste e desconcertante.

– Arsène Lupin – gaguejou uma das vozes, enfatizando assim o que havia de assustador em ver aquele nome diabólico no pé da folha sagrada.

– Sim, Arsène Lupin – repetiu Beautrelet. – O amigo da rainha não conseguiu entender o apelo desesperado da moribunda. Ele viveu com a lembrança que lhe fora enviada por aquela a quem ele amava, e não adivinhou o motivo dessa lembrança. Lupin, ele sim, descobriu tudo, ele... e ele levou.

– Levou o quê?

– O documento, diabos! O documento escrito por Luís XVI, e foi isso que eu tive em minhas mãos. A mesma aparência, a mesma configuração, os mesmos lacres vermelhos. Entendo por que Lupin não quis deixar comigo um documento do qual eu poderia tirar partido apenas examinando o papel, os lacres etc.

– E daí?

– E daí, visto que o documento de que conheço o texto é autêntico, visto que vi os vestígios dos lacres vermelhos, visto que a própria Maria Antonieta certifica, por esse bilhete de seu próprio punho, que todo o relato da brochura reproduzida pelo senhor Massiban é autêntica, visto que realmente há um enigma histórico relativo à Agulha Oca, tenho certeza de que terei sucesso.

– Como? Autêntico ou não, o documento, se o senhor não conseguir decifrá-lo, é inútil, pois Luís XVI destruiu o livro que fornecia a sua explicação.

– Sim, mas a outra cópia, arrancada das chamas pelo capitão da guarda do rei Luís XIV, não foi destruída.

– Como sabe?

– Prove o contrário.

Beautrelet ficou em silêncio, então lentamente, com os olhos fechados, como se quisesse esclarecer e resumir seu pensamento, disse:

– Possuidor do segredo, o capitão da guarda começa por revelar algumas partes dele no diário que seria encontrado por seu bisneto. Então vem o silêncio. A palavra do enigma, ele não a fornece. Por quê? Porque a tentação de utilizar o segredo gradualmente se infiltra nele, e ele sucumbe a ela. A prova? Seu assassinato. A prova? A magnífica joia descoberta junto com ele e que, sem dúvida, ele retirara de um certo tesouro real cujo esconderijo, desconhecido por todos, constitui precisamente o mistério da Agulha Oca. Lupin me permitiu ouvi-lo: Lupin não estava mentindo.

– Então, Beautrelet, o que conclui?

– Concluo que temos de fazer o máximo de publicidade possível em torno dessa história, e que se possa divulgar, por todos os jornais, que estamos procurando um livro intitulado *O Tratado da Agulha*. Talvez o encontremos no fundo de alguma biblioteca do interior.

Imediatamente a nota foi redigida e, imediatamente, sem esperar que ela pudesse produzir um resultado, Beautrelet começou a trabalhar.

Um início de pista se apresentou: o assassinato ocorrera nos arredores de Gaillon. No mesmo dia, ele foi para essa cidade. É claro que ele não esperava reconstruir um crime cometido duzentos anos antes. Mas, mesmo assim, há certos crimes que deixam rastros nas lembranças, nas tradições dos lugares.

As crônicas locais os recolhem. Um dia, algum erudito provinciano, algum amante de velhas lendas, algum evocador de pequenos incidentes da vida passada, faz deles o assunto de um artigo de jornal ou de uma comunicação à academia da cidade.

Ele falou com três ou quatro desses eruditos. Com um deles, sobretudo, um velho tabelião, esquadrinhou, consultou os registros da prisão, os registros dos antigos cartórios e das paróquias. Nenhuma notícia fazia alusão ao assassinato de um capitão da guarda no século XVII.

Ele não desanimou e continuou suas buscas em Paris, onde talvez a investigação do caso tivesse ocorrido. Seus esforços foram infrutíferos.

Mas a ideia de uma outra pista o lançou em uma nova direção. Seria impossível saber o nome desse capitão da guarda cujo neto emigrou, e cujo bisneto serviu aos exércitos da República, foi destacado para o Templo durante a detenção da família real, serviu a Napoleão e fez a campanha da França?

ARSÈNE LUPIN E A AGULHA OCA

Com muita paciência, acabou por estabelecer uma lista em que pelo menos dois nomes apresentavam semelhança quase total: o senhor de Larbeyrie, no tempo de Luís XIV, o cidadão Larbrie, sob o período do Terror.

Já era um ponto importante. Ele deixou claro em um comunicado que transmitiu aos jornais, perguntando se poderiam lhe fornecer informações sobre esse Larbeyrie ou sobre seus descendentes.

Foi o senhor Massiban, o Massiban da brochura, o membro do Instituto, quem lhe respondeu.

Senhor,

Gostaria de apontar-lhe uma passagem de Voltaire, que observei em seu manuscrito do Século de Luís XIV *(capítulo XXV: Particularidades e anedotas do reino). Essa passagem foi excluída nas várias edições.*

"Ouvi contar ao falecido senhor de Caumartin, intendente das finanças e amigo do ministro Chamillard, que um dia o rei partiu às pressas na sua carruagem ao saber que o senhor de Larbeyrie tinha sido assassinado e despojado de magníficas joias. Ele parecia tomado de grande emoção e repetia: 'Tudo está perdido... tudo está perdido...'. No ano seguinte, o filho desse Larbeyrie e sua filha, que tinha se casado com o marquês de Vélines, foram exilados em suas terras na Provença e na Bretanha. Não devemos duvidar de que haja aí alguma peculiaridade".

Devemos duvidar ainda menos, eu acrescentaria, que o senhor Chamillard, segundo Voltaire, foi o último ministro que teve o estranho segredo do Máscara de Ferro.

Veja, senhor, o benefício que se pode extrair dessa passagem, e a ligação óbvia que se estabelece entre as duas aventuras. Eu, de minha parte, não me atrevo a imaginar hipóteses demasiado precisas sobre a conduta, sobre as suspeitas, sobre as apreensões de Luís XIV nessas circunstâncias, mas não é admissível, por outro lado, uma vez que o senhor de Larbeyrie deixou um filho que foi provavelmente o avô do cidadão-oficial Larbrie, e uma filha, não é possível supor que parte dos papéis deixados por Larbeyrie tenham ficado para a filha, e que, entre esses papéis, estava a famosa cópia que o capitão da guarda salvou das chamas?

Consultei o Anuário dos Castelos. Há um barão de Vélines nos arredores de Rennes. Seria um descendente do marquês? Por acaso, ontem, escrevi a esse barão para perguntar-lhe se não tinha em seu poder um livrinho velho, cujo título mencionaria essa palavra Agulha. Estou esperando sua resposta.

Eu teria a maior satisfação em falar sobre todas essas coisas com o senhor. Se isso não o incomodar muito, venha me ver. Queira aceitar, senhor, meus protestos de estima e consideração.

P.S.: Claro, não comunico essas pequenas descobertas aos jornais. Agora que o senhor está se aproximando do objetivo, a discrição é obrigatória.

Essa era absolutamente a opinião de Beautrelet. Ele foi ainda mais longe: tendo sido assediado naquela manhã por dois jornalistas, forneceu-lhes as informações mais fantasiosas sobre seu estado de espírito e seus planos.

À tarde, ele se apressou em ver Massiban, que morava no número 17 do Quai Voltaire. Para sua surpresa, soube que Massiban acabara de sair inesperadamente, deixando um bilhete para o caso de ele aparecer. Isidore quebrou o lacre e leu:

Recebi uma mensagem que me dá alguma esperança. Portanto, estou partindo e dormirei em Rennes. Você pode pegar o trem noturno e, sem parar em Rennes, continuar até a pequena estação de Vélines. Poderíamos nos encontrar no castelo, localizado a quatro quilômetros dessa estação.

O programa agradou a Beautrelet e principalmente a ideia de que ele chegaria ao castelo ao mesmo tempo que Massiban, porque temia alguma asneira daquele homem inexperiente. Voltou para a casa do amigo e passou o resto do dia com ele. À noite, pegou o expresso para a Bretanha. Às seis horas, desembarcava em Vélines. Percorreu a pé, entre bosques densos, os quatro quilômetros de estrada. De longe, viu no alto um solar comprido, uma construção bastante híbrida, Um misto de Renascença e de Luís Filipe, mas ainda parecendo imponente com suas quatro torres e sua ponte levadiça envolta em hera.

Isidore sentiu seu coração bater ao se aproximar. Ele estava realmente chegando ao fim de sua corrida? O castelo continha a chave do mistério?

Ele não deixava de sentir medo. Tudo lhe parecia bom demais, e ele se perguntava se, mais uma vez, não estava obedecendo a um plano infernal, combinado por Lupin, se Massiban não era, por exemplo, um instrumento nas mãos de seu inimigo.

Ele explodiu numa gargalhada.

"Ora, estou ficando cômico. Seria realmente possível pensar que Lupin é um cavalheiro infalível que prevê tudo, uma espécie de Deus todo-poderoso, contra o qual não há nada a fazer. Que diabo! Lupin se engana, Lupin está também ele à mercê das circunstâncias, Lupin comete erros, e é justamente por causa do erro que cometeu ao perder o documento que estou começando a ganhar terreno sobre ele. Tudo decorre disso. E seus esforços, em suma, servem apenas para reparar o erro cometido." E alegremente, cheio de confiança, Beautrelet tocou a campainha.

– Que deseja, senhor? – disse um criado aparecendo na soleira.

– O barão de Vélines pode me receber?

E estendeu seu cartão.

– O senhor barão ainda não se levantou, mas se o senhor quiser esperar por ele.

– Não veio procurá-lo até o momento um homem de barba branca, um pouco curvado? – disse Beautrelet, que conhecia Massiban pelas fotos que os jornais haviam publicado.

– Sim, esse senhor chegou há dez minutos, eu o introduzi no salão. Se o senhor quiser me seguir também.

O encontro entre Massiban e Beautrelet foi bastante cordial. Isidore agradeceu ao velho homem as informações de primeira linha que devia a ele e Massiban expressou-lhe sua admiração da maneira mais calorosa. Depois, trocaram impressões sobre o documento, sobre as possibilidades que tinham de descobrir o livro, e Massiban repetiu o que soubera, em relação ao senhor de Vélines. O barão era um homem de sessenta anos que, viúvo de longa data, vivia bem retirado com sua filha, Gabrielle de Villemon, que acabava de ser cruelmente atingida pela perda do marido e do filho mais velho, mortos em consequência de um acidente de carro.

– O senhor barão pede aos senhores a gentileza de subir.

O criado conduziu-os ao primeiro andar, a um grande cômodo com paredes nuas e mobiliado de forma simples com escrivaninhas, armários e mesas cobertas de papéis e de registros. O barão os saudou com muita afabilidade e com aquela grande necessidade de falar que pessoas muito solitárias costumam ter. Eles encontraram grande dificuldade em expor o objeto de sua visita.

– Sim, eu sei, o senhor me escreveu sobre isso, senhor Massiban. Trata-se, não é, de um livro no qual se fala de uma Agulha, e que me viria de um antepassado?

ARSÈNE LUPIN E A AGULHA OCA

– De fato.

– Devo lhes dizer que meus ancestrais e eu estamos brigados. Naquele tempo, as pessoas tinham algumas ideias esquisitas. Já eu sou do meu tempo. Rompi com o passado.

– Sim – objetou Beautrelet impaciente –, mas o senhor não possui nenhuma lembrança de ter visto este livro?

– Pois sim! Telegrafei para o senhor – exclamou, dirigindo-se a Massiban, que, aborrecido, ia e voltava no salão e olhava pelas outras janelas.

– Pois sim!... Ou pelo menos pareceu à minha filha que ela tinha visto esse título entre os milhares de livros que atulham a biblioteca. Porque, para mim, senhores, a leitura... Não leio nem mesmo os jornais... Minha filha às vezes o faz, e olhe lá! Contanto que seu pequeno Georges, o filho que lhe resta, se comporte bem! E contanto, quanto a mim, que minhas propriedades me tragam renda, que meus aluguéis estejam em ordem!... Vejam meus registros... Vivo enterrado nesses assuntos, senhores... e confesso que ignoro em absoluto qualquer coisa a respeito dessa história, da qual o senhor me falou por carta, senhor Massiban...

Isidore Beautrelet, cansado de tanta tagarelice, interrompeu-o bruscamente:

– Desculpe, senhor, mas então esse livro...

– Minha filha o procurou. Ela o procura desde ontem.

– E então?

– Bem, ela o encontrou, ela o encontrou uma ou duas horas atrás. Quando os senhores chegaram...

– E onde ele está?

– Onde ele está? Mas ela o colocou na mesa... vejam... ali...

Isidore deu um pulo. Na ponta da mesa, sobre uma confusão de papéis, havia um livrinho coberto de marroquino vermelho. Colocou a mão sobre o livro, violentamente, como se proibisse qualquer pessoa no mundo de tocá-lo... e um pouco como se também ele próprio não ousasse pegá-lo.

– Então – exclamou Massiban, bastante emocionado.

– Eu o tenho... aqui está... agora, é isso...

– Mas o título... o senhor tem certeza!

– Diabos, claro! Vejam.

Ele mostrou as letras douradas gravadas no marroquino: "O mistério da Agulha Oca".

– O senhor está convencido? Finalmente somos os mestres e guardiães do segredo?

– A primeira página... O que há na primeira página?

– Leiam: "Toda a verdade exposta pela primeira vez. Cem exemplares impressos por mim mesmo e para instrução do Tribunal".

– É isso, é isso – murmurou Massiban, com a voz alterada, é o exemplar arrancado das chamas, é o próprio livro que Luís XIV condenou.

Eles o folhearam. A primeira metade recontava as explicações dadas pelo capitão de Larbeyrie em seu diário.

– Vamos, vamos – disse Beautrelet, que tinha pressa em chegar a uma solução.

– Calma, calma! Não precisa ter pressa. Já sabemos que o homem da Máscara de Ferro foi preso porque sabia e queria divulgar o segredo da casa real da França! Mas como ele ficou sabendo dele? E por que queria divulgá-lo? Enfim, quem é esse estranho personagem? Meio-irmão de Luís XIV, como achava Voltaire, ou o ministro italiano Mattioli, como afirma a crítica moderna? Caramba! Essas são questões de interesse primordial!

– Mais tarde! mais tarde ! – protestou Beautrelet, como se temesse que o livro voasse de suas mãos antes que ele conhecesse o enigma.

– Mas – objetou Massiban – esses detalhes históricos são apaixonantes, temos tempo, depois... Vamos ver a explicação primeiro.

De repente, Beautrelet parou. O documento! No meio de uma página, à esquerda, seus olhos viram as cinco linhas misteriosas de pontos e números. Com um olhar, percebeu que o texto era idêntico ao que ele tanto havia estudado. A mesma disposição de sinais... os mesmos intervalos que permitiam isolar a palavra *demoiselles* [senhoritas] e determinar os dois termos da Agulha Oca, um separado do outro.

Uma pequena nota o precedia:

Todas as informações necessárias foram reduzidas pelo rei Luís XIII, ao que parece, a um pequeno quadro, que transcrevo abaixo.

Seguia-se o quadro. Então vinha a própria explicação do documento. Beautrelet leu com uma voz entrecortada:

Como podemos ver, esse quadro, embora tenhamos trocado os números por vogais, não lança nenhuma luz. Pode-se dizer que para decifrar esse enigma é preciso primeiro conhecê-lo. É no máximo um fio que se dá a quem conhece os caminhos do labirinto. Peguemos esse fio e caminhemos, eu o guiarei.

A quarta linha primeiro. A quarta linha contém as medidas e as indicações. Conformando-se às indicações e levando em conta as medidas inscritas, chegaremos inevitavelmente ao objetivo, com a condição, é claro, de sabermos onde estamos e para onde vamos, enfim, de sermos esclarecidos sobre o real significado da Agulha Oca. É o que pode ser aprendido pelas três primeiras linhas. A primeira é, portanto, projetada para me vingar do rei, eu o tinha avisado, aliás...

Beautrelet parou, perplexo.

– O quê? O que há? – disse Massiban.

– Perdeu o sentido.

– De fato – continuou Massiban. – "A primeira foi portanto concebida para me vingar do rei..." O que isso quer dizer?

– Droga! – gritou Beautrelet.

– O quê?

– Rasgadas! Duas páginas! As páginas seguintes!... Veja os resquícios!...

Ele estava tremendo, perturbado pela raiva e pela decepção. Massiban se inclinou para a frente:

– Isso mesmo... há resquícios de duas páginas. As marcas parecem bem recentes. Não foram cortadas, mas arrancadas... violentamente arrancadas... Veja, todas as páginas no final estão amassadas.

– Mas quem? Quem? – gemeu Isidore, apertando os punhos. – Um criado? Um cúmplice?

– De qualquer forma, isso pode ter sido feito há alguns meses – observou Massiban.

– Mesmo assim... alguém deve ter encontrado esse livro primeiro... Vejamos, senhor – exclamou Beautrelet, interpelando o barão –, o senhor não sabe de nada?... Não suspeita de ninguém?

– Poderíamos interrogar minha filha.

– Sim... sim... é isso... talvez ela saiba...

O senhor de Vélines chamou o criado. Poucos minutos depois, a senhora de Villemon entrava. Era uma mulher jovem, com um rosto marcado pela dor e pela resignação. Imediatamente, Beautrelet lhe perguntou:

– A senhora encontrou aquele livro lá em cima, na biblioteca?

– Sim, em um pacote de volumes, que não estava desamarrado.

– E a senhora o leu?

– Sim, ontem à noite.

– Quando leu, as duas páginas estavam faltando? A senhora se lembra bem das duas páginas que se seguem a esse quadro de números e pontos?

– Não, não – ela disse muito surpresa –, não faltava nenhuma página.

– No entanto, elas foram rasgadas...

– Mas o livro não saiu do meu quarto esta noite.

– E esta manhã?

– Esta manhã, eu mesma o trouxe aqui quando se anunciou a chegada do senhor Massiban.

– Então?

– Então eu não entendo... a menos que... mas não...

– O quê?

– Georges... meu filho... esta manhã... Georges brincou com este livro.

Ela saiu precipitadamente, acompanhada por Beautrelet, por Massiban e pelo barão. O menino não estava em seu quarto. Eles o procuraram por todo lado. Finalmente, ele foi encontrado brincando atrás do castelo. Mas essas três pessoas pareciam tão agitadas, e o chamavam a prestar contas com tanta autoridade, que ele começou a gritar. Todo mundo corria em todas as direções. Os criados foram questionados. Foi um alvoroço indescritível. E Beautrelet teve a terrível impressão de que a verdade se retirava dele como água se filtrando por entre seus dedos. Fez um esforço para se recompor, pegou o braço da senhora de Villemon e, seguido pelo barão e por Massiban, levou-a de volta para o salão e lhe disse:

– O livro está incompleto, ou seja, duas páginas foram arrancadas... mas a senhora as leu, não é?

– Sim.

– Sabe o que elas continham?

– Sim.

– Poderia repetir para nós?

– Perfeitamente. Li o livro todo com muita curiosidade, mas essas duas páginas me impressionaram especialmente, dado o interesse das revelações, um interesse considerável.

– Bem, fale, senhora, fale, eu lhe suplico. Essas revelações são de excepcional importância. Fale, por favor, os minutos perdidos não podem ser recuperados. A Agulha Oca...

– Oh, é muito simples, a Agulha Oca significa...

Nesse momento, um criado entrou.

– Uma carta para a senhora...

– Ora... mas o carteiro já passou.

– Foi uma criança que me entregou.

A senhora de Villemon abriu o lacre, leu e colocou a mão no coração, cambaleando, de repente lívida e apavorada.

O papel havia escorregado para o chão. Beautrelet pegou e, sem se desculpar, leu:

Cale a boca... senão seu filho não vai acordar...

– Meu filho... meu filho... – gaguejou ela, tão debilitada que nem mesmo podia ir em socorro daquele que era ameaçado.

Beautrelet a tranquilizou:

– Não é sério... é uma brincadeira... vamos, quem teria interesse?

– A não ser – insinuou Massiban –, que seja Arsène Lupin.

Beautrelet lhe fez sinal para que ficasse em silêncio. Sabia muito bem, é claro, que o inimigo estava ali, mais uma vez, atento e decidido a tudo, e era por isso mesmo que queria arrancar da senhora de Villemon as palavras supremas, por tanto tempo esperadas, e arrancá-las imediatamente, naquele mesmo instante.

– Eu imploro, senhora, recomponha-se... Estamos todos aqui... Não há nenhum perigo...

Ela iria falar? Ele acreditava nisso, ele esperava que isso acontecesse. Ela gaguejou algumas sílabas. Mas a porta se abriu novamente. Dessa vez, a empregada entrou. Ela parecia perturbada.

– O senhor Georges... senhora... o senhor Georges.

De repente, a mãe recuperou todas as suas forças. Mais rápida que todos eles e movida por um instinto que não a enganava, desceu as escadas aos tropeções, atravessou o vestíbulo e correu para o terraço. Ali, numa poltrona, o pequeno Georges estava estendido, imóvel.

– E então, qual o problema? Ele está dormindo!...

– Ele adormeceu de repente, senhora – disse a empregada. – Eu quis impedi-lo, levá-lo para seu quarto. Ele já estava dormindo, e suas mãos... suas mãos estavam frias.

– Frias! – gaguejou a mãe... – Sim, é verdade... Oh, meu Deus, meu Deus... *Tomara que ele acorde!*

Beautrelet enfiou os dedos em um dos bolsos, segurou a coronha do revólver, posicionou o indicador no gatilho, puxou de repente a arma e atirou em Massiban.

Antecipadamente, por assim dizer, como se observasse as ações do jovem, Massiban tinha se esquivado do tiro. Mas já Beautrelet tinha se lançado sobre ele, gritando para os criados:

– Ajudem-me! É Lupin!...

Sob a violência do choque, Massiban foi derrubado em uma das poltronas de vime.

Depois de sete ou oito segundos, ele se levantou, deixando Beautrelet atordoado, sufocando e tendo nas mãos o revólver do jovem.

– Bem... perfeito... não se mexa... você tem dois ou três minutos... não mais... Mas, francamente, você custou a me reconhecer. Será que eu consegui imitar Massiban tão bem?

Ele se endireitou, e agora ereto sobre as pernas, o peito sólido, a atitude temível, zombou, olhando para os três criados petrificados e para o barão perplexo.

– Isidore, você jogou mal. Se não tivesse contado a eles que eu era Lupin, eles pulariam sobre mim. E com pessoas fortes como essas, caramba, o que teria me acontecido, meu Deus! Um contra quatro!

Ele se aproximou deles:

– Vamos, crianças, não tenham medo... não vou fazer dodói em vocês... Então, querem um pedaço de açúcar de cevada? Isso irá recuperá-los. Ah, você, por exemplo, vai me devolver minha nota de cem francos. Sim, sim, estou reconhecendo-o. Foi a você que paguei agora há pouco para levar a carta a sua patroa... Vamos, rápido, criado ruim...

Pegou a nota azul que o criado lhe entregou com tanta presteza e rasgou-a em pedacinhos.

– O dinheiro da traição... queima meus dedos.

Tirou o chapéu e fez uma profunda reverência para a senhora de Villemon:

– A senhora me perdoa? Os acasos da vida, especialmente da minha, muitas vezes forçam a crueldades diante das quais sou o primeiro a corar. Mas não tema por seu filho, é uma simples picada, uma picadinha no braço dele que eu dei enquanto ele estava sendo interrogado. Em uma hora, no máximo, não vai parecer... Mais uma vez, minhas desculpas. Mas preciso do seu silêncio.

Fez outra saudação, agradeceu ao senhor de Vélines sua amável hospitalidade, pegou sua bengala, acendeu um cigarro, ofereceu um ao barão, despediu-se com um gesto circular do chapéu, gritou num tom baixo e protetor a Beautrelet:

– Adeus, bebê!

E foi embora calmamente, lançando baforadas de cigarro no nariz dos criados...

Beautrelet esperou por alguns minutos. A senhora de Villemon, mais calma, velava o filho. Ele se aproximou dela com o objetivo de fazer um último pedido. Seus olhos se encontraram. Ele não disse nada. Tinha entendido que, nunca mais, não importava o que acontecesse, ela falaria. Também ali, no cérebro daquela mãe, o segredo da Agulha Oca estava enterrado tão profundamente quanto nas trevas do passado.

Arsène Lupin e a Agulha Oca

Então ele desistiu e foi embora.

Eram dez e meia. Havia um trem às onze horas e cinquenta minutos. Lentamente, ele seguiu a alameda do parque e pegou o caminho que levava à estação.

– Então, o que diz sobre isso?

Era Massiban, ou melhor, Lupin, emergindo da floresta adjacente à estrada.

– Foi bem organizado? Seu velho colega sabe dançar na corda bamba? Tenho certeza que você não vai insistir, hein? E que você se pergunta se o tal Massiban, membro da Academia de Inscrições e Belas-Letras, alguma vez existiu? Claro, existe. Vamos mostrar se você se comportar. Mas primeiro, deixe-me devolver seu revólver... Você dá uma olhada para ver se está carregada? Perfeitamente, meu pequeno. Cinco balas que restam, das quais apenas uma já seria suficiente para me mandar para o outro mundo... Então, vai colocar no bolso?... Ainda bem... Gosto mais disso do que daquilo que fez agora há pouco... Que coisa feia! Mas, pois é, somos jovens, de repente percebemos que fomos superados mais uma vez por esse Lupin danado, e que ele está ali na nossa frente a três passos... *pfffft*, atiramos... Não lhe quero mal, sabe... A prova é que o convido a sentar-se no meu cem-cavalos. Que tal?

Ele colocou os dedos na boca e assobiou.

O contraste era delicioso entre a aparência venerável do velho Massiban e a jovialidade de gestos e sotaques que Lupin afetava, Beautrelet não pôde deixar de rir.

– Ele riu. Ele riu! – gritou Lupin, pulando de alegria. – Você vê, o que lhe falta, bebê, é o sorriso... Você é um pouco sério para a sua idade... É muito simpático, tem um grande charme de ingenuidade e simplicidade... mas é verdade, você não tem o sorriso.

Ele se plantou na frente dele.

– Olhe, aposto que vou fazê-lo chorar. Sabe como acompanhei sua investigação? Como tomei conhecimento da carta que Massiban lhe escreveu e do encontro que ele tinha marcado para esta manhã no castelo de Vélines? Pela tagarelice do seu amigo, aquele com quem você mora... Você confia nesse idiota, e ele corre para contar tudo para a namorada... E a namorada dele não tem segredos para Lupin. O que eu estava lhe dizendo? Olha lá, você já está ficando abalado... Seus olhos estão ficando molhados... amizade traída, hein? Isso o magoa... Vamos, você é gente boa, meu pequeno... Por pouco não lhe dou um abraço... você sempre tem olhares de espanto que vão direto ao coração... Sempre me lembrarei da outra noite, em Gaillon, quando você me consultou... Sim, era eu, o velho tabelião... Mas ria, garoto... É verdade, eu lhe repito, você não tem o sorriso. Veja, a você lhe falta... como eu diria? Falta-lhe "espontaneidade". Eu tenho "espontaneidade".

Ouvia-se o barulho de um motor bem próximo. Lupin agarrou bruscamente o braço de Beautrelet e, em um tom frio, olhou-o nos olhos:

– Você vai ficar quieto agora, hein? Pode ver bem que não há nada a fazer. Então, de que adianta usar suas forças e perder seu tempo? Existem bandidos suficientes no mundo... Corra atrás deles e me deixe... do contrário... Está combinado, não é?

Ele o sacudia para impor-lhe sua vontade. Então, zombou:

– Como sou tolo! Você, me deixar em paz? Você não é daqueles que desistem... Ah, eu não sei o que está me detendo... Em dois tempos e três movimentos, você seria amarrado, amordaçado... e em duas horas, colocado na sombra por alguns meses... E eu poderia cruzar os braços em total segurança, aposentar-me no refúgio de paz preparado para mim por meus ancestrais, os reis da França, e desfrutar dos tesouros que eles fizeram a gentileza de acumular para mim... Mas não, está dito que farei asneiras até o fim... O que você quer? Nós temos nossos pontos fracos... E eu tenho um em relação a você... E então, ainda não terminou. Daqui até você conseguir colocar o dedo no oco da Agulha, muita água vai passar por baixo da ponte... Que diabo! Eu, Lupin, levei dez dias. Você vai precisar de dez anos. Há espaço, no entanto, entre nós dois.

O automóvel estava chegando, um enorme veículo de carroceria coberta. Ele abriu a porta, Beautrelet soltou um grito. Na limusine havia um homem e esse homem era Lupin, ou melhor, Massiban.

Ele estourou de rir, entendendo de repente.

Lupin lhe disse:

– Não se reprima, ele dorme bem. Eu prometi a você que o veria. Você pode explicar as coisas para si mesmo agora? Por volta da meia-noite, eu soube do seu encontro no castelo. Às sete da manhã, eu estava lá. Quando Massiban apareceu, só tive de pegá-lo... E então, uma pequena picada... e pronto! Durma, meu amigo... Vamos deixá-lo no barranco... Em pleno sol, para que não sinta frio... Vamos... bem... perfeito... Maravilha! E com nosso chapéu na mão!.. Uma esmolinha, por favor... Ah, meu velho Massiban, quem mandou se meter com Lupin!

Era realmente muito engraçado ver os dois Massiban um diante do outro, um adormecido e balançando a cabeça, o outro sério, cheio de atenções e de respeito.

– Tenha piedade de um pobre cego... Aqui, Massiban, aqui estão dois tostões e meu cartão de visita...

– E agora, crianças, vamos em quarta marcha... Está ouvindo, chofer, 120 por hora. Para o carro, Isidore... Hoje há sessão plenária do Instituto e Massiban deve ler, às três e meia, um pequeno trabalho sobre não sei o quê. Bem, ele vai ler para eles, seu pequeno trabalho. Servirei a eles um Massiban completo, mais verdadeiro que o real, com minhas próprias ideias sobre as inscrições lacustres. Por uma vez, serei do Instituto. Mais rápido, chofer, estamos só a 115... Está com medo, esquece que está com Lupin?... Ah, Isidore, e ousam dizer que a vida é monótona, mas a vida é uma coisa adorável, meu pequeno, só é preciso saber... e eu, eu sei... Se acha que eu não estava explodindo de alegria agora há pouco, no castelo, quando você conversava com o velho Vélines e eu, encostado à janela, rasgava as páginas do livro histórico! E depois, quando você perguntava à senhora de Villemon sobre a Agulha Oca! Ela iria falar? Sim, ela falaria... não, ela não falaria... sim... não... Eu ficava arrepiado... Se ela falasse, era minha vida a ser refeita, toda uma estrutura destruída. O criado chegaria a tempo? Sim... não... aí está ele... Mas Beautrelet vai me desmascarar? Nunca! É muito tolo! Sim... não... aí está... não, não é... sim... ele me olha de soslaio... é isso... ele vai pegar o revólver... Ah, que volúpia!... Isidore, você fala demais... Vamos dormir? Estou morrendo de sono... boa noite...

Beautrelet olhou para ele. Parecia já estar quase dormindo. Estava dormindo.

O automóvel, lançado através do espaço, disparava em direção a um horizonte sempre alcançado e sempre em fuga. Não havia mais cidades, vilarejos, campos, florestas, nada além de espaço, espaço devorado, engolido. Beautrelet olhou longamente para seu companheiro de viagem com ardente curiosidade, mas também com vontade de penetrar, através da máscara que a cobria, sua real fisionomia. E pensou nas circunstâncias que os encerravam assim um ao lado do outro na intimidade daquele automóvel.

Mas, depois das emoções e decepções daquela manhã, cansado, também adormeceu.

Quando acordou, Lupin estava lendo. Beautrelet se inclinou para ver o título do livro. Era *Cartas a Lucílio*, de Sêneca.

DE CÉSAR A LUPIN

"Que diabo! Eu, Lupin, levei dez dias... Você vai precisar de dez anos!"

Essa frase, proferida por Lupin ao sair do castelo de Vélines, teve uma influência considerável na conduta de Beautrelet. No fundo muito calmo e sempre senhor de si, Lupin tinha no entanto esses momentos de exaltação, essas expansões um tanto românticas, teatrais e ao mesmo tempo ingênuas, nas quais lhe escapavam certas confissões, certas palavras de que um rapaz como Beautrelet podia tirar vantagem.

Com ou sem razão, Beautrelet acreditava ver nessa frase uma dessas confissões involuntárias. Ele tinha o direito de concluir que, se Lupin colocava seus esforços em paralelo com os dele na busca da verdade sobre a Agulha Oca, era porque ambos possuíam meios idênticos para atingir o objetivo, era porque ele, Lupin, não tinha tido elementos de sucesso diferentes daqueles de que dispunha seu adversário. As chances eram as mesmas. Ora, com essas mesmas chances, com esses mesmos elementos de sucesso, dez dias tinham sido suficientes para Lupin. Quais eram esses elementos, esses meios e essas chances? Isso acabava se resumindo ao conhecimento da brochura publicada em 1815, brochura que Lupin tinha sem dúvida, como Massiban, encontrado por acaso, e graças à qual ele conseguira descobrir, no missal de Maria Antonieta, o indispensável documento. Portanto, a brochura e o documento, eis as duas únicas bases nas quais Lupin estava apoiado. Com isso, ele tinha reconstruído todo o edifício. Sem ajuda externa. O estudo da brochura e o estudo do documento, ponto final, era isso.

Pois bem! Beautrelet não poderia se limitar ao mesmo terreno? De que adiantava uma luta impossível? De que adiantavam aquelas investigações fúteis nas quais ele tinha certeza de que, por mais que evitasse as armadilhas que se multiplicavam sob seus passos, chegaria, no final, ao mais desprezível dos resultados?

Sua decisão foi clara e imediata e, ao se conformar a ela, ele tinha a feliz intuição de que estava no caminho certo. Em primeiro lugar, ele deixou sem recriminações inúteis seu colega do liceu Janson-de-Sailly e, pegando sua mala, foi se acomodar, depois de muitas voltas e reviravoltas, em um pequeno hotel localizado bem no centro de Paris. Ele não saiu desse hotel por dias inteiros. No máximo, comia do prato do dia. O resto do tempo, trancado, as cortinas do quarto hermeticamente fechadas, ele pensava.

"Dez dias", dissera Arsène Lupin. Beautrelet, tentando esquecer tudo que havia feito e lembrar-se apenas dos elementos da brochura e do documento, ambicionava ardorosamente ficar dentro dos limites daqueles dez dias. O décimo, porém, passou, e o décimo primeiro e o décimo segundo, mas no décimo terceiro um lampejo surgiu em seu cérebro, e muito rapidamente, com a velocidade desconcertante dessas ideias que se desenvolvem em nós como plantas milagrosas, a verdade emergiu, floresceu, ficou mais forte. Na noite desse décimo terceiro dia, ele certamente não sabia a solução do problema, mas conhecia com toda certeza um dos métodos que poderiam levar à sua descoberta, o método fecundo que Lupin sem dúvida alguma havia usado.

ARSÈNE LUPIN E A AGULHA OCA

Um método muito simples e que decorria desta única questão: existe uma ligação entre todos os acontecimentos históricos, mais ou menos importantes, aos quais a brochura relaciona o mistério da Agulha Oca? A diversidade dos eventos tornava difícil a resposta. No entanto, do exame aprofundado a que Beautrelet se entregou, finalmente acabou por emergir uma característica essencial a todos esses eventos. Todos, sem exceção, se passavam dentro dos limites da antiga Nêustria, limites esses que correspondem aproximadamente à atual Normandia. Todos os heróis da aventura fantástica ou são normandos ou passam a sê-lo, ou atuam na região normanda.

Que viagem emocionante através dos tempos. Que espetáculo comovente esse de todas aquelas pessoas, aqueles barões, duques e reis, partindo de pontos tão opostos e se encontrando nesse canto do mundo!

Ao acaso, Beautrelet folheou a história. Roll, ou Rollon, primeiro duque *normando*, torna-se mestre do segredo da Agulha após o tratado de Saint-Clair-sur-Epte!

Surge Guilherme, o Conquistador, duque da *Normandia*, rei da Inglaterra, cujo estandarte é perfurado à maneira de uma agulha!

Em *Rouen,* os ingleses queimam Joana d'Arc, dona do segredo!

E bem na origem da aventura, quem é esse chefe dos Calcetas que paga seu resgate a César com o segredo da Agulha senão o chefe dos homens da região de Caux, da região essa situada no próprio coração da *Normandia*?

A hipótese se torna mais clara. O campo se estreita. Rouen, às margens do Sena, a região de Caux… parecia mesmo que todas as estradas convergiam para aquele lado. Se formos citar particularmente dois reis da França, agora que o segredo, perdido para os duques da Normandia e para seus herdeiros, os reis da Inglaterra, tornou-se o segredo real da França, esses são Henrique IV, que sitiou Rouen e venceu a batalha de Arques, às portas de Dieppe. E Francisco I, que fundou Le Havre e pronunciou essa frase reveladora: "Os reis da França carregam segredos que muitas vezes regem o destino das cidades!" Rouen, Dieppe, Le Havre... os três cumes do triângulo, as três grandes cidades que ocupam as três pontas. No centro, a região de Caux.

Chega o século XVII. Luís XIV queima o livro onde o desconhecido revela a verdade. O capitão de Larbeyrie se apodera de um exemplar, aproveita-se do segredo que violou, rouba um certo número de joias e, surpreendido por ladrões de estrada, morre assassinado. Mas qual é o lugar onde ocorre a emboscada? Gaillon! Gaillon, uma pequena cidade localizada na estrada que vai de Le Havre, de Rouen ou de Dieppe a Paris.

Um ano depois, Luís XIV compra uma propriedade e constrói o castelo da Agulha. Que local ele escolhe? O centro da França. Dessa forma, os curiosos são despistados. Não se procura na Normandia.

Em Rouen... Em Dieppe... Em Le Havre... O triângulo da região de Caux... Está tudo ali... De um lado o mar. De outro, o Sena. De um outro, os dois vales que vão de Rouen a Dieppe.

Um clarão iluminou a mente de Beautrelet. Essa área, esses confins de altos planaltos que se estendem desde as falésias do Sena às falésias do Canal da Mancha, foram sempre, quase sempre, o próprio campo de operações em que Lupin atuava.

Por dez anos, era exatamente nessa região que ele vinha agitando, como se tivesse seu covil bem no centro da região à qual a lenda da Agulha Oca estava mais intimamente ligada.

O caso do Barão de Cahorn[4]? Nas margens do Sena, entre Rouen e Le Havre. O caso Tibermesnil[5]? Na outra extremidade do planalto, entre Rouen e Dieppe. Os roubos de Gruchet, de Montigny, de Crasville? No coração da região de Caux. Para onde Lupin estava indo quando foi atacado e amarrado em sua cabine por Pierre Onfrey, o assassino da

---

[4] *Arsène Lupin, o ladrão de casaca* (Arsène Lupin na prisão). (N.T.)
[5] *Arsène Lupin, o ladrão de casaca* (Herlock Sholmes chega tarde demais). (N.T.)

ARSÈNE LUPIN E A AGULHA OCA

rue Lafontaine[6]? Para Rouen. Onde Herlock Sholmes, prisioneiro de Lupin, tinha sido embarcado[7]? Perto de Le Havre.

De todo o drama atual, qual foi o teatro? Ambrumésy, na estrada de Le Havre para Dieppe.

Rouen, Dieppe, Le Havre, sempre o triângulo de Caux.

Assim, alguns anos antes, Arsène Lupin, dono da brochura e conhecedor do esconderijo onde Maria Antonieta havia ocultado o documento, Arsène Lupin acabou por colocar as mãos no famoso livro de orações. Possuidor do documento, saía a campo, *encontrava* o país conquistado e nele se estabelecia.

Beautrelet saiu a campo.

Partiu com verdadeira emoção, pensando na mesma viagem que Lupin fizera, nas mesmas esperanças que ele devia ter alimentado quando se colocava no rumo da descoberta do formidável segredo que devia investi-lo de todo esse poder. Seus esforços teriam o mesmo resultado vitorioso?

Ele saiu de Rouen cedo, a pé, o rosto bem maquiado e com um saco pendurado na ponta de uma vara, nas costas, como um estudante em viagem pela França.

Foi direto para Duclair, onde almoçou. Ao sair desse burgo, seguiu o Sena e praticamente não mais o deixou. Seu instinto, reforçado, aliás, por muitas conjeturas, sempre o levava de volta às margens sinuosas do belo rio. Quando o castelo de Cahorn foi assaltado, não foi pelo Sena que passaram suas coleções? Quando a Chapelle-Dieu foi roubada, foi para o Sena que as velhas pedras esculpidas foram transportadas. Ele imaginava uma flotilha de barcaças fazendo o serviço regular de Rouen a Le Havre e drenando as obras de arte e as riquezas de uma região para despachá-las de lá para a terra dos bilionários.

---

[6] *Arsène Lupin, o ladrão de casaca* (O viajante misterioso). (N.T.)

[7] *Arsène Lupin contra Herlock Sholmes* (A mulher loura). (N.T.)

– Estou esquentando... Estou esquentando!... – murmurava o jovem, ofegando sob os golpes da verdade que o atingia com grandes choques sucessivos.

O fracasso dos primeiros dias não o desanimou. Ele tinha uma fé profunda e inabalável no acerto da hipótese que o guiava. Ousada, exagerada, não importava! Ela era digna do inimigo perseguido. A hipótese valia a prodigiosa realidade que se chamava Lupin. Com esse homem, devia-se olhar para fora do enorme, do exagerado, do sobre-humano? Jumièges, La Mailleraye, Saint-Wandrille, Caudebec, Tancarville, Quillebeuf, localidades todas cheias de sua lembrança! Quantas vezes ele devia ter contemplado a glória de suas torres góticas ou o esplendor de suas vastas ruínas!

Mas Le Havre, os arredores de Le Havre atraíam Isidore como as luzes de um farol.

"Os reis da França carregam segredos que muitas vezes regem o destino das cidades."

Palavras obscuras e, de repente, radiantes de clareza para Beautrelet! Não fora a declaração exata dos motivos que fizera com que Francisco I decidisse criar uma cidade ali, e o destino de Le Havre de Grâce não estava ligado ao próprio segredo da Agulha?

– É isso... é isso... – balbuciou Beautrelet inebriado.. O antigo estuário normando, um dos pontos essenciais, um dos núcleos primitivos em torno dos quais se formou a nacionalidade francesa, o antigo estuário é completado por essas duas forças, uma em pleno céu, viva, conhecida, porto novo que comanda o oceano e que se abre para o mundo; a outra tenebrosa, ignorada e tanto mais perturbadora por ser invisível e impalpável. Todo um lado da história da França e da casa real pode ser explicado pela Agulha, assim como toda a história de Lupin. Os mesmos recursos de energia e de poder nutrem e renovam a fortuna dos reis e a do aventureiro.

De burgo ao burgo, do rio ao mar, Beautrelet vasculhou, de nariz ao vento, de orelha em pé, tentando extrair até das coisas seu significado profundo. Era essa encosta que precisava ser interrogada? Essa floresta? As casas desse vilarejo? Seria entre as palavras insignificantes desse camponês que ele recolheria a pequena palavra reveladora?

Certa manhã, ele almoçava numa hospedaria, vizinha a Honfleur, antiga cidade do estuário. À sua frente, comia um daqueles negociantes normandos, ruivos e pesados, que fazem as feiras da região vendendo cavalos, chicote na mão, uma blusa comprida nas costas. Depois de um momento, Beautrelet teve a impressão de que aquele homem o olhava com certa atenção, como se o conhecesse, ou pelo menos como se tentasse reconhecê-lo.

"Bah!" pensou. "Devo estar enganado, nunca vi esse vendedor de cavalos e ele nunca me viu."

De fato, o homem pareceu não se ocupar mais dele. Acendeu o cachimbo, pediu café e conhaque, fumou e bebeu. Terminada a refeição, Beautrelet pagou e se levantou. Como um grupo de indivíduos estava entrando quando se preparava para sair, ele teve de ficar por alguns segundos perto da mesa onde o negociante estava sentado, e o ouviu dizer em voz baixa:

– Olá, senhor Beautrelet.

Isidore não hesitou. Sentou-se junto do homem e lhe disse:

– Sim, sou eu... mas quem é o senhor? Como me reconheceu?

– Não foi difícil... E, no entanto, tudo que vi foi apenas seu retrato nos jornais. Mas o senhor está tão mal... como se diz em francês? Tão mal disfarçado.

Ele tinha um sotaque estrangeiro muito nítido, e Beautrelet pensou ter percebido, ao examiná-lo, que também ele usava um disfarce que alterava sua fisionomia.

– Quem é o senhor? – ele repetiu. – Quem é o senhor?

O estranho sorriu:

– Não me reconhece?

– Não. Nunca o vi.

– Nem eu tampouco o vi antes. Mas tente lembrar-se... Eu também, meu retrato é publicado nos jornais... e com frequência. Então, já está lembrado?

– Não.

– Herlock Sholmes.

O encontro era original. Também era significativo. Imediatamente, o jovem avaliou seu alcance. Após uma troca de cumprimentos, disse a Sholmes:

– Suponho que se está aqui... é por causa dele?

– Sim...

– Então... então... acha que temos chances... deste lado...

– Tenho certeza.

A alegria que Beautrelet sentiu ao constatar que a opinião de Sholmes coincidia com a dele não foi sem contrariedades. Se o inglês atingisse o objetivo, seria uma vitória compartilhada e quem sabe se não chegaria antes dele?

– O senhor tem provas? Indícios?

– Não tenha medo – o inglês zombou, entendendo sua preocupação –, eu não estou caminhando sobre seus passos. Suas pistas são o documento, a brochura... coisas que não me inspiram muita confiança.

– E o senhor?

– Comigo não é esse o caso.

– Seria indiscreto perguntar?...

– De modo nenhum. O senhor se lembra da história do diadema, a história do duque de Charmerace[8]?

---

[8] *Arsène Lupin*, peça em quatro atos. (N.T.)

– Sim.

– Você não se esqueceu de Victoire, a velha babá de Lupin, aquela que meu bom amigo Ganimard deixou escapar num falso carro da penitenciária?

– Não.

– Reencontrei a pista de Victoire. Ela mora em uma fazenda não muito longe da estrada nacional nº 25. A estrada nacional nº 25 é a estrada de Le Havre a Lille. Por meio de Victoire, chegarei facilmente a Lupin.

– Isso vai demorar.

– Que importa! Larguei todos os meus casos. Só esse é que conta. Entre Lupin e eu existe uma luta... uma luta até a morte.

Ele pronunciou essas palavras com uma espécie de selvageria em que se sentia todo o rancor das humilhações sentidas, todo um ódio feroz contra o grande inimigo que o havia enganado tão cruelmente.

– Vá embora – murmurou ele –, estamos sendo vigiados... é perigoso... Mas lembre-se das minhas palavras: no dia em que Lupin e eu nos enfrentarmos, será... será trágico.

Ao deixar Sholmes, Beautrelet sentia-se completamente tranquilo: não havia razão para temer que o inglês o ultrapassasse.

E que outra evidência a oportunidade dessa entrevista ainda lhe trazia! A estrada de Le Havre a Lille passa por Dieppe. É a grande estrada costeira da região de Caux! A estrada marítima que domina as falésias do Canal da Mancha! E era em uma fazenda próxima a essa estrada que Victoire estava instalada. Victoire, quer dizer Lupin, já que um não podia ir sem o outro, o senhor sem a serva, sempre cegamente devotada.

"Estou esquentando... Estou esquentando...", o jovem repetia para si mesmo... "Sempre que as circunstâncias me trazem um novo elemento de informação, é para confirmar minha suposição. De um lado, a certeza absoluta das margens do Sena; de outro, a certeza da estrada nacional. As duas vias de comunicação se encontram em Le Havre, na cidade de Francisco I, a cidade do segredo. Os limites estão se estreitando. A região de Caux não é grande, e ainda é apenas a parte ocidental da região que devo pesquisar."

Ele se pôs de novo a trabalhar ferozmente.

"O que Lupin encontrou não há razão para que eu não consiga encontrar", ele não parava de dizer a si mesmo. Certamente, Lupin devia ter tido grandes vantagens sobre ele, talvez um conhecimento profundo da área, dados precisos sobre lendas locais, menos que isso, uma lembrança – uma vantagem preciosa, já que ele, Beautrelet, não sabia de nada e ignorava totalmente aquela região, tendo-a percorrido pela primeira vez por ocasião do roubo de Ambrumésy, e rapidamente, sem ali se demorar.

Mas que importava!

Se ele tivesse de devotar dez anos de sua vida àquela investigação, ele iria levá-la a termo. Lupin estava lá. Ele o via. Adivinhava isso. Ele o estava esperando em alguma curva de uma estrada, na borda de um bosque, na saída de um vilarejo. Toda vez que ficava desapontado, parecia-lhe que encontrava em cada decepção um motivo mais forte para continuar persistindo.

Em muitas ocasiões, deixava-se cair na beira da estrada e mergulhava loucamente no exame do documento, pois sempre carregava consigo a cópia, ou seja, com a substituição dos números por vogais:

$$e\ .a.a..\ e..\ e\ .a.$$
$$.a..a...\ e.e.\ \ .e.o.i.e..e.$$
$$.o\,u..\ \ e\ .\ o...e..e.o..e$$
$$D\ \ \overline{DF}\square 19F+44\triangleright 357\triangle$$
$$a\,i\ .u\,i..\ e\ ..e\,u.e$$

Frequentemente, também, como era seu costume, ele se deitava de bruços na grama alta e pensava por horas. Ele tinha tempo. O futuro lhe pertencia.

Com admirável paciência, ia do Sena ao mar, e do mar ao Sena, afastando-se gradualmente, retornando sobre seus passos, e só abandonando o terreno quando não havia mais teoricamente nenhuma possibilidade de extrair dele a menor informação.

Ele estudou, examinou Montivilliers, Saint-Romain, Octeville e Gonneville, e Criquetot.

Batia à porta nos camponeses à noite e lhes pedia abrigo. Depois do jantar, fumavam juntos e conversavam. E ele fazia com que lhe contassem as histórias que contavam um ao outro nos longos serões de inverno.

E sempre aquela pergunta furtiva:

– E a Agulha? A lenda da Agulha Oca... Não sabem sobre isso?

– Sinceramente... Não sei nada disso...

– Pensem bem... alguma história antiga... alguma coisa que fala de uma agulha... Uma agulha encantada talvez... sei lá?

Nada. Nenhuma lenda, nenhuma lembrança. E no dia seguinte, ele partia de novo com alegria.

Um dia, passou pelo bonito vilarejo de Saint-Jouin voltado para o mar e desceu por entre o caos de rochas que desmoronara da falésia.

Então, subiu de volta ao planalto e foi rumo ao vale de Bruneval, ao cabo de Antifer, à pequena enseada de Belle-Plage. Ele caminhava alegre e com leveza, um pouco cansado, mas muito feliz de viver! Tão feliz que se esquecia de Lupin e do mistério da Agulha Oca e de Victoire e de Sholmes, de tal forma se interessava pelo espetáculo das coisas, pelo céu azul, pelo grande mar esmeralda, tudo deslumbrante de sol.

Encostas retas, restos de muros de tijolos, onde ele pensou ter reconhecido os vestígios de um campo romano, o intrigaram. Então percebeu uma espécie de pequeno castelo, construído como a imitação de um forte antigo, com torres rachadas, altas janelas góticas, e que estava situado em um promontório irregular, montanhoso e rochoso, e quase separado do penhasco. Um portão, ladeado por grades de proteção e parapeitos de ferro, defendia a passagem estreita.

Não sem dificuldade, Beautrelet conseguiu cruzá-lo. Acima da porta ogival, que estava fechada por uma velha fechadura enferrujada, ele leu estas palavras:

Forte de Fréfossé[9]

Não tentou entrar e, virando à direita, tomou, após ter descido um pequeno declive, um atalho que corria sobre uma crista de terra provida um corrimão de madeira. Bem no final, havia uma gruta de proporções exíguas, formando uma espécie de guarita na ponta da rocha onde era escavada, uma rocha íngreme que se inclinava sobre o mar.

Mal era possível ficar de pé no centro da gruta. Um grande número de inscrições se entrecruzava em suas paredes. Um buraco quase quadrado perfurado na pedra servia de lucarna do lado da terra, exatamente em frente ao forte de Fréfossé, cuja coroa ameada podia ser vista a trinta ou quarenta metros de distância. Beautrelet jogou sua bolsa no chão e se sentou. Fora um dia pesado e cansativo. Ele adormeceu por um momento.

O vento frio que circulava na gruta o despertou. Ele permaneceu imóvel e distraído por alguns minutos, o olhar vago. Estava tentando refletir, retomar seu pensamento ainda entorpecido. E já, mais consciente, ia se levantar, quando teve a impressão de que seus olhos

---

[9] O forte Fréfossé tinha o nome de uma propriedade vizinha da qual dependia. Sua destruição, ocorrida poucos anos depois, foi exigida pela autoridade militar, após as revelações registradas neste livro. (N.T.)

repentinamente fixos, repentinamente arregalados, olhavam... Um arrepio o agitou. Suas mãos se crisparam e ele sentiu gotas de suor se formando na raiz de seu cabelo.

– Não... não... ele gaguejou... é um sonho, uma alucinação... Vamos ver, isso seria possível?

Ele se ajoelhou bruscamente e se inclinou para a frente. Apareceram duas letras enormes, cada uma com o tamanho aproximado de um pé, gravadas em relevo no granito do solo.

Essas duas letras, esculpidas de forma grosseira, mas clara, e das quais o desgaste dos séculos tinham arredondado os ângulos e alisado a superfície, essas duas letras eram um D e um F.

Um D e um F! Milagre perturbador! Um D e um F, precisamente, duas letras do documento! As duas únicas letras do documento!

Ah, Beautrelet nem precisava consultá-lo para evocar esse conjunto de letras na quarta linha, a linha das medidas e das indicações!

Ele as conhecia bem! Elas estavam gravadas para sempre no fundo de suas pupilas, incrustadas para sempre na própria substância de seu cérebro!

Ele se levantou, desceu a trilha escarpada, subiu ao longo do velho forte, de novo agarrou-se às pontas do guarda-corpo para passar, e caminhou rapidamente em direção a um pastor cujo rebanho se alimentava sobre uma ondulação do planalto.

– Aquela gruta ali... aquela gruta...

Seus lábios tremiam e ele procurava por palavras que não conseguia encontrar. O pastor o contemplava com espanto. Finalmente, ele repetiu:

– Sim, essa gruta... que fica ali... à direita do forte... Ela tem um nome?

– Caramba! Todas as pessoas que vivem em Étretat dizem que são as Demoiselles.

– O que, o quê?... O que está dizendo?

– Ora, isso... o quarto das Demoiselles...

Isidore esteve a ponto de agarrá-lo pelo pescoço, como se toda a verdade residisse naquele homem, e esperasse tomá-la dele de um golpe, arrancá-la...

As Demoiselles! Uma das palavras, uma das duas únicas palavras conhecidas do documento!

Um vento de loucura fez balançarem as pernas de Beautrelet. E isso se inflava ao seu redor, soprava como uma borrasca impetuosa que vinha do mar, que vinha da terra, que vinha de todos os lados e o açoitava com grandes golpes de verdade... Ele entendia! O documento aparecia para ele com seu verdadeiro significado! O quarto das Demoiselles... Étretat...

"É isso...", ele pensou, a mente inundada de luz... "Só pode ser isso. Mas como não adivinhei antes?"

Ele disse ao pastor em voz baixa:

– Bem... vá embora... pode ir... obrigado...

O homem, espantado, assobiou para seu cachorro e se afastou.

Uma vez sozinho, Beautrelet voltou para o forte. Ele já quase o havia ultrapassado, quando de repente jogou-se no chão e ficou encolhido contra um pedaço de muro. E ele pensava, torcendo as mãos:

– Estou louco! E se *ele* estiver me vendo? Se *seus* cúmplices estiverem me vendo? Faz uma hora que vou... e venho...

Ele não se mexeu mais. O sol tinha se posto. A noite gradualmente se misturava com o dia, borrando os contornos das coisas.

Então, com pequenos gestos insensíveis, de bruços, escorregando, engatinhando, avançou por uma das pontas do promontório, até o extremo da falésia. Atingiu-a. Com as pontas das mãos estendidas, separou tufos de grama e sua cabeça emergiu acima do abismo.

À sua frente, quase ao nível da falésia, em alto-mar, erguia-se uma enorme rocha, com mais de oitenta metros de altura, um colossal obelisco, ereto sobre sua grande base de granito que se via ao nível da água e depois se afinava em direção ao topo, como o dente gigante de um monstro marinho. Branco como a falésia, um branco-acinzentado e sujo, o terrível monólito era riscado de linhas horizontais marcadas com sílex, e onde se via o lento trabalho dos séculos acumulando umas sobre as outras as camadas de calcário e as de seixos.

Aqui e ali, uma fenda, uma cavidade e, logo além, um pouco de terra, grama, folhas.

E tudo isso poderoso, sólido, formidável, com um ar de coisa indestrutível contra a qual o assalto furioso das ondas e das tempestades não podia prevalecer. Tudo isso, definitivo, imanente, grandioso apesar da grandeza da muralha de falésias que o dominava, imenso apesar da imensidão do espaço onde se erguia.

As unhas de Beautrelet cravavam-se no solo como as garras de um animal pronto para pular sobre sua presa. Seus olhos penetravam na casca rugosa da rocha, em sua pele, parecia-lhe, em sua carne. Ele a tocava, a apalpava, tomava conhecimento e posse dela... Assimilava-se a ela...

O horizonte estava inundado com todos os fogos do sol desaparecido, e longas nuvens, como brasas, imóveis no céu, formavam paisagens magníficas, lagoas irreais, planícies flamejantes, florestas douradas, lagos de sangue, toda uma fantasmagoria ígnea e tranquila.

O azul do céu escureceu. Vênus irradiava um brilho maravilhoso, então as estrelas se acenderam, ainda tímidas.

E Beautrelet fechou subitamente os olhos e pressionou convulsivamente os braços cruzados contra a testa. Ali!... Ah!... Pensou em morrer de alegria, tão cruel foi a emoção que lhe apertou o coração. Ali, quase no topo da Agulha de Étretat, embaixo da ponta extrema em torno da qual esvoaçavam gaivotas, um pouco de fumaça escapava de uma fresta, como de uma chaminé invisível, um pouco de fumaça subia em espirais lentas no ar calmo do crepúsculo.

ABRE-TE, SÉSAMO!

A Agulha de Étretat é oca!

Fenômeno natural? Escavação produzida por cataclismos internos ou pelo esforço insensível da efervescência do mar, da chuva que se infiltra? Ou uma obra sobre-humana, executada por humanos, celtas, gauleses, homens pré-históricos? Questões insolúveis, sem dúvida. E o que isso importava? O essencial residia nisso: a Agulha era oca.

A quarenta ou cinquenta metros desse arco imponente chamado Porta de Aval, que se eleva do topo da falésia como o colossal ramo de uma árvore, para fincar raízes nas rochas submarinas, se ergue um cone calcário de grandes dimensões; e esse cone é apenas um boné de casca pontudo colocado sobre o vazio.

Uma revelação prodigiosa! Depois de Lupin, eis que Beautrelet descobria a palavra-chave do grande enigma, que pairou por mais de vinte séculos! Palavra de suprema importância para quem a possuía outrora, nos tempos distantes em que hordas de bárbaros cavalgavam o velho mundo! Palavra mágica que abriu o antro ciclópico para tribos inteiras em fuga diante do inimigo! Palavra misteriosa que guardou a porta do asilo mais inviolável! Palavra de prestígio que deu poder e garantiu preponderância!

Por ter conhecido essa palavra, César pôde submeter a Gália. Por terem-na conhecido, os normandos se impuseram à região, e dali, mais tarde, encostados nesse ponto de apoio, conquistaram a ilha vizinha, conquistaram a Sicília, conquistaram o Oriente, conquistaram o Novo Mundo!

Mestres do segredo, os reis da Inglaterra dominaram a França, humilharam-na, desmembraram-na, se fizeram coroar reis em Paris. Eles o perderam e veio a derrota.

Mestres do segredo, os reis da França cresceram, foram além dos estreitos limites de seu domínio, aos poucos fundaram a grande nação e irradiaram glória e poder – eles o esqueceram ou não souberam como usá-lo, e veio a morte, o exílio, a decadência.

Um reino invisível, no seio das águas e a dez braças da terra!... Uma fortaleza ignorada, mais alta que as torres de Notre-Dame e construída sobre uma base de granito mais larga que uma praça pública... Quanta força e quanta segurança! De Paris ao mar, pelo Sena. Ali, Le Havre, cidade nova, cidade necessária. E a sete léguas dali, a Agulha Oca. Não era um asilo inexpugnável?

É o asilo e também o formidável esconderijo. Todos os tesouros dos reis, aumentados a cada século, todo o ouro da França, tudo que foi tirado do povo, tudo que foi arrancado do clero, todo o butim recolhido nos campos de batalha da Europa, foram amontoados ali, na caverna real. Velhas moedas de ouro, escudos brilhantes, dobrões, ducados, florins, guinéus e pedras preciosas, e diamantes, e todas as joias e todos os adornos, tudo está lá. Quem o descobriria? Quem jamais saberia o segredo impenetrável da Agulha? Ninguém.

Sim, Lupin.

E Lupin se tornara aquele tipo de ser realmente desproporcional que se conhece, aquele milagre impossível de explicar enquanto a verdade permanecer nas sombras. Por mais infinitos que sejam os recursos de seu gênio, não podem ser suficientes para a luta que ele sustenta contra a sociedade. Outros, mais materiais, são-lhe necessários. É necessário um retiro seguro, é necessária a certeza da impunidade, a paz que permite a execução dos planos.

Sem a Agulha Oca, Lupin é incompreensível, é um mito, um personagem de romance, sem relação com a realidade. Mestre do segredo – e de que segredo! –, é um homem como qualquer outro, simplesmente, mas que sabe manejar de maneira superior a extraordinária arma com que o destino o dotou.

Portanto, a Agulha é oca, e isso é um fato indiscutível. Restava saber como era possível chegar a ela.

Pelo mar, claro. Devia haver no lado do mar, alguma fenda acessível para os barcos em certas horas da maré. Mas do lado da terra?

Até o anoitecer, Beautrelet permaneceu suspenso sobre o abismo, os olhos fixos na massa de sombras formada pela pirâmide, e pensando, meditando com todo o esforço de sua mente.

Depois, desceu para Étretat, escolheu o hotel mais modesto, jantou, subiu para o quarto e desdobrou o documento.

Para ele, agora, era um jogo determinar seu significado. De imediato, percebeu que as três vogais da palavra Étretat se encontravam na primeira linha, na ordem e nos intervalos desejados. Essa primeira linha, portanto, se estabelecia da seguinte forma:

e. a. a.. é t r e t a t. a..

Que palavras poderiam preceder *Étretat*? Palavras que sem dúvida se aplicavam à situação da Agulha em relação ao vilarejo. Ora, a Agulha erguia-se à esquerda, a oeste... Ele olhou em volta e, lembrando-se de que os ventos de oeste eram chamados nas costas de ventos de aval [ventos do mar] e que a porta era justamente chamada de Aval, ele escreveu:

En aval d'Étretat. a.. [A oeste de Étretat]

A segunda linha era a da palavra *Demoiselles*, e, notando imediatamente, antes desta palavra, a série de todas as vogais que compõem as palavras *la chambre des* [o quarto das], ele anotou as duas sentenças:

En aval d'Étretat – La chambre des Demoiselles
[A oeste de Étretat, o quarto das Senhoritas].

Teve mais problemas com a terceira linha, e só depois de tatear é que, lembrando-se da localização, não muito longe do quarto das Demoiselles, do castelinho construído no lugar do forte de Fréfossé, ele acabou por reconstituir assim o documento quase completo:

En aval d'Étretat – la chambre des Demoiselles – Sous le fort de Fréfossé – Aiguille creuse [A oeste de Étretat – o quarto das Senhoritas – Debaixo do forte de Fréfossé – Agulha Oca].

Essas foram as quatro grandes fórmulas, as fórmulas essenciais e gerais. Com base nelas, uma pessoa se dirigia do oeste de Étretat, entrava no quarto das Demoiselles, passava com toda a probabilidade por baixo do forte de Fréfossé e chegava à agulha.

Como? Pelas indicações e medidas que formavam a quarta linha:

$$D \ \overline{DF}\square 19F + 44\triangleright 357\triangle$$

Maurice Leblanc

Evidentemente, tratava-se das fórmulas mais especiais, destinadas à procura do local por onde se entrava e do caminho que conduzia à Agulha.

Beautrelet logo supôs – e sua hipótese era a consequência lógica do documento – que, se de fato havia uma comunicação direta entre a terra e o obelisco da Agulha, o subterrâneo devia partir do quarto das Demoiselles, passar sob o Forte de Fréfossé, descer a pique os cem metros da falésia e, por um túnel feito sob as rochas do mar, terminar na Agulha Oca.

A entrada do subterrâneo? Não eram as duas letras D e F, tão claramente recortadas, que a designavam, que talvez também a abrissem graças a algum mecanismo engenhoso?

Durante toda a manhã do dia seguinte, Isidore caminhou por Étretat e conversou aqui e ali para tentar recolher alguma informação útil. Finalmente, à tarde, ele escalou a falésia. Disfarçado de marinheiro, ficara ainda mais jovem e parecia um menino de doze anos, com as calças muito curtas e sua camisa de malha de pescador.

Assim que entrou na gruta, ele se ajoelhou diante das letras. Uma decepção o esperava. Não importava quão fortemente ele as atingisse, as empurrasse, as manipulasse em todas as direções, elas não se moviam. E ele se deu conta rapidamente que elas de fato não podiam se mover e, em consequência, não controlavam nenhum mecanismo. No entanto... no entanto elas significavam algo! Pelas informações que obtivera no vilarejo, resultava que ninguém jamais fora capaz de explicar sua presença, e que o abade Cochet, em seu precioso livro sobre Étretat[10], também havia se debruçado em vão sobre aquele pequeno enigma. Mas Isidore sabia o que o erudito arqueólogo normando ignorava, isto é, a presença das mesmas duas letras no documento, na linha das indicações. Coincidência fortuita? Impossível. Então?...

---

[10] *As origens de Étretat.* No final, o Padre Cochet parece concluir que as duas letras são iniciais de um transeunte. As revelações que trazemos demonstram o erro de tal suposição. (N.T.)

De repente, uma ideia lhe ocorreu, e tão racional, tão simples, que ele não duvidou por um segundo que fosse correta. Não eram D e F as iniciais de duas das palavras mais importantes do documento? Palavras que representavam – com a Agulha – os marcos essenciais da estrada a seguir: o quarto das *Demoiselles* e o forte de *Fréfossé*. O D de Demoiselles, o F de Fréfossé, havia ali uma relação estranha demais para ser fruto do acaso.

Sendo assim, o problema se apresentaria da seguinte forma: o grupo DF representa a relação que existia entre o quarto das Demoiselles e o forte de Fréfossé; a letra D isolada que inicia a linha representa as Demoiselles, isto é, a gruta onde a pessoa deve primeiro se colocar; e a letra F isolada, que se situa no meio da linha, representa Fréfossé, ou seja, a provável entrada do subterrâneo.

Entre esses vários signos, restam ainda dois: uma espécie de retângulo irregular, marcado com uma linha à esquerda, na parte inferior, e o número 19, sinais que, obviamente, indicam aos que estão na gruta o meio de penetrar no forte.

A forma desse retângulo intrigava Isidore. Haveria ao seu redor, nos muros, ou pelo menos ao alcance do olhar, uma inscrição, qualquer coisa ligada a uma forma retangular?

Ele procurou por muito tempo, e estava prestes a abandonar essa pista, quando seus olhos encontraram a pequena abertura feita na rocha e que era como a janela do quarto. Ora, as bordas dessa abertura desenhavam precisamente um retângulo áspero, irregular e grosseiro, mas ainda assim um retângulo, e imediatamente Beautrelet constatou que quem colocasse os dois pés no D e no F gravados no solo – e assim explicava a barra acima das duas letras do documento – estaria exatamente na altura da janela!

Ele firmou posição ali e observou. Sendo a janela dirigida, como já dissemos, para a terra firme, avistava-se primeiro o caminho que ligava a gruta ao solo, caminho esse suspenso entre dois abismos, depois se percebia a própria base do montículo que sustentava o forte. Para tentar ver o forte, Beautrelet inclinou-se para a esquerda, e foi então que entendeu o significado da linha arredondada, da vírgula que marcava o documento embaixo, à esquerda embaixo, à esquerda da janela, um pedaço de sílex formava uma saliência, e a extremidade desse pedaço curvava-se como uma garra. Parecia um verdadeiro ponto de mira. E, posicionando-se o olho naquele ponto de mira, o olhar recortava, na encosta do montículo oposto, uma área bastante pequena e quase inteiramente ocupada por um velho muro de tijolos, vestígio do antigo forte de Fréfossé ou do antigo *oppidum* romano construído naquele lugar.

Beautrelet correu em direção àquele trecho do muro, com talvez dez metros de comprimento, cuja superfície era atapetada de grama e plantas. Ele não indicou nenhuma pista.

E no entanto, aquele número 19?

Ele voltou para a gruta, tirou do bolso um rolo de barbante e um medidor de metros de tecido de que havia se munido, atou o barbante ao ângulo de sílex, amarrou uma pedra na altura do décimo nono metro e o atirou na direção da terra. O seixo mal alcançou o fim do caminho.

"Triplo idiota", pensou Beautrelet. Naquela época as distâncias eram medidas em metros? 19 significa 19 *toises*[11] ou não significa nada."

Feito o cálculo, ele contou trinta e sete metros no barbante, deu um nó e, tateando, procurou na lateral do muro o ponto exato e necessariamente único em que o nó formado a trinta e sete metros da janela das Demoiselles tocaria o muro de Fréfossé. Alguns instantes depois, o ponto de contato foi estabelecido. Com a mão livre, ele afastou as folhas de verbasco enfiadas entre os interstícios.

Deixou escapar um grito. O nó estava colocado no centro de uma pequena cruz gravada em relevo em um tijolo.

---

[11] Medida equivalente a quase dois metros. (N.T.)

Ora, o sinal que se seguia ao número 19 no documento era uma cruz! Ele precisou de toda a sua força de vontade para dominar a emoção que o invadia. Apressadamente, com os dedos cerrados, ele agarrou a cruz e, ao pressionar para baixo, girou-a como teria feito girar os raios de uma roda. O tijolo oscilou. Ele redobrou o esforço: não mexia mais. Então, sem girar, ele pressionou mais. Imediatamente o sentiu ceder. E de repente houve algo como um deslocamento, o som de uma fechadura se abrindo; e, à direita do tijolo, ao longo de um metro de largura, a porção do muro girou e revelou a entrada de um subterrâneo.

Como um louco, Beautrelet agarrou a porta de ferro em que os tijolos estavam chumbados, puxou-a de volta com violência e a fechou. O espanto, a alegria, o medo de ser surpreendido contraíam seu rosto até torná-lo irreconhecível. Ele teve a visão aterrorizante de tudo que havia acontecido ali, em frente àquela porta, durante vinte séculos, de todos os personagens iniciados no grande segredo, que haviam entrado por aquela abertura... Celtas, gauleses, romanos, normandos, ingleses, franceses, barões, duques, reis e, depois de todos eles, Arsène Lupin... e depois de Lupin, ele, Beautrelet... Sentiu que seu cérebro lhe escapava. Suas pálpebras tremeram. Ele caiu inconsciente e rolou até a parte baixa da rampa, bem na beira do precipício.

Sua tarefa havia terminado, pelo menos a tarefa que ele poderia realizar sozinho, com os únicos recursos de que dispunha.

À noite, ele escreveu uma longa carta ao chefe da Segurança, na qual relatava fielmente os resultados de sua investigação e revelava o segredo da Agulha Oca. Ele pedia ajuda para completar a obra e dava seu endereço.

Enquanto esperava pela resposta, passou duas noites consecutivas no quarto das Demoiselles. Passou essas noites, entorpecido de medo, os nervos tensos por um pavor exasperado pelos ruídos noturnos... Todo o tempo ele pensava ver sombras avançando em sua direção.

Sabiam de sua presença na gruta… se aproximavam… iam esganá-lo… Seu olhar, porém, irremediavelmente fixo, sustentado por toda a sua vontade, agarrava-se ao pedaço de muro.

Na primeira noite, nada se moveu, mas na segunda, à luz das estrelas e de uma lua crescente fina, ele viu a porta se abrir e vultos emergirem das trevas. Ele contou dois, três, quatro, cinco…

Pareceu-lhe que aqueles cinco homens carregavam fardos bastante volumosos. Eles cortaram direto pelos campos até a estrada para Le Havre e ouviu-se o som de um carro se afastando.

Voltou sobre seus passos, caminhou ao longo de uma grande fazenda. Mas, no desvio do atalho que a margeava, só teve tempo de subir uma encosta e se esconder atrás das árvores. Mais homens passaram, quatro… cinco… todos carregados de pacotes. E dois minutos depois, outro automóvel rugiu. Dessa vez, ele não teve forças para retornar ao seu posto e voltou para o hotel.

Quando acordou, o rapaz do hotel lhe trouxe uma carta. Ele a abriu. Era o cartão de Ganimard.

– Enfim! – exclamou Beautrelet, que realmente sentia, depois de tão dura campanha, a necessidade de ajuda.

Ele avançou com as mãos estendidas. Ganimard tomou-as, olhou para ele por um momento e lhe disse:

– Você é um sujeito durão, meu garoto.

– Bah! – ele disse –, o acaso me ajudou bem.

– Não há acaso com *ele* – afirmou o inspetor, que ainda falava solenemente de Lupin e sem dizer seu nome.

Ele se sentou.

– Então nós o temos?

– Como já tivemos mais de vinte vezes – disse Beautrelet, rindo.

– Sim, mas hoje…

– Hoje, de fato, o caso é diferente. Conhecemos seu retiro, seu castelo fortificado, o que faz, afinal, que Lupin seja Lupin. Ele pode escapar. A Agulha de Étretat não pode.

– Por que você acredita que ele vai escapar? – Ganimard perguntou, mostrando bastante preocupação.

– Por que acha que ele precisa escapar? – respondeu Beautrelet. – Não há evidências de que ele esteja atualmente na Agulha. Naquela noite, onze de seus cúmplices saíram dali. Ele pode ter sido um desses onze.

Ganimard refletiu.

– Tem razão. O principal é a Agulha Oca. Quanto ao resto, esperemos que a sorte nos favorecerá. E agora, vamos conversar.

Ele assumiu de novo sua voz profunda, seu ar de importância convicta, e disse:

– Meu caro Beautrelet, tenho ordens de lhe recomendar a mais absoluta discrição em relação a esse caso.

– Ordens de quem? – disse Beautrelet brincando. – Do chefe de polícia?

– Mais alto.

– Do presidente do Conselho?

– Mais alto.

– Caramba!

Ganimard baixou a voz.

– Beautrelet, acabo de chegar do Palácio do Eliseu. Esse caso é considerado segredo de Estado, de extrema gravidade. Existem sérias razões para que essa cidadela invisível se mantenha ignorada... razões estratégicas sobretudo... Isto aqui poderá se tornar um centro de abastecimento, um depósito de novos explosivos, de projéteis recém--inventados, sei lá. O arsenal desconhecido da França.

– Mas como se espera manter esse segredo? Antigamente, apenas um homem o detinha, o rei. Hoje, somos já alguns a saber, sem contar o bando de Lupin.

– Ora, ainda que fosse possível ganhar dez anos, ou mesmo cinco anos de silêncio! Esses cinco anos podem ser a salvação...

– Mas, para tomar essa cidadela, esse futuro arsenal, é preciso atacá-lo, é preciso desalojar Lupin. E tudo isso não se faz sem alarde.

– Obviamente, adivinharão algo, mas não saberão. De qualquer modo, vamos tentar.

– Que seja, qual é o seu plano?

– Em suma, é o seguinte. Em primeiro lugar, você não é Isidore Beautrelet, e ninguém está tratando de Arsène Lupin. Você é e continua sendo um garoto de Étretat que, enquanto passeava, surpreendeu indivíduos que saíam de uma passagem subterrânea. Você supõe, não é, a existência de uma escada que atravessa a falésia de alto a baixo?

– Sim, existem várias dessas escadas ao longo da costa. Olhe, bem perto, me mostraram, em frente a Bénouville, a Escada do Cura, conhecida de todos os banhistas. E não estou falando dos três ou quatro túneis destinados aos pescadores.

– Então, metade dos meus homens e eu caminhamos guiados por você. Eu entro sozinho, ou acompanhado, isso fica para ser decidido. Ainda assim, o ataque será por ali. Se Lupin não estiver na Agulha, montamos uma ratoeira, onde mais cedo ou mais tarde ele será pego. Se ele estiver lá...

– Se ele estiver lá, senhor Ganimard, fugirá da Agulha pela face posterior, aquela que dá para o mar.

– Nesse caso, ele será imediatamente detido pela outra metade dos meus homens.

– Sim, mas se, como suponho, o senhor tiver escolhido o momento em que o mar baixou, deixando a descoberto a base da Agulha, a caça será pública, visto que acontecerá perante todos os pescadores de mexilhões, camarões e mariscos que abundam nos rochedos circundantes.

– É por isso que escolherei exatamente a hora em que o mar estará cheio.

– Nesse caso, ele fugirá em um barco.

– E como terei lá uma dúzia de barcos de pesca, cada um dos quais comandado por um de meus homens, ele será pego.

– Isso se ele não passar entre sua dúzia de barcos, assim como um peixe passa pela malha da rede.

– Que seja. Nesse caso, eu o afundo completamente.

– Caramba! Então o senhor terá canhões?

– Claro que sim. Há atualmente um grande torpedeiro em Le Havre. Com um telefonema meu, ele estará nos arredores da Agulha na hora marcada.

–Do que Lupin terá orgulho! Um torpedeiro!… Vamos, estou entendendo, senhor Ganimard, tem tudo planejado. Só resta agirmos. Quando faremos o ataque?

– Amanhã.

– À noite?

– Em plena luz do dia, com a maré subindo, por volta das dez horas.

– Perfeito!

Sob uma aparência de alegria, Beautrelet escondia uma verdadeira angústia. Até o dia seguinte, ele não dormiu, pois os mais inviáveis planos agitavam sua mente. Ganimard o havia deixado para ir a Yport, a cerca de dez quilômetros de Étretat, onde, por prudência, combinou um encontro com seus homens e onde fretou doze barcos de pesca, o que, para todos os efeitos, se destinava a fazer sondagens ao longo da costa.

Às quinze para as dez, escoltado por doze companheiros fortes, ele encontrava Isidore na parte inferior do caminho que sobe a falésia. Às dez em ponto, eles chegaram à frente do painel do muro. Aquele era o momento decisivo.

– O que há de errado com você, Beautrelet? Você está verde? – Ganimard brincou, dirigindo-se ao jovem de forma zombeteira.

– E você, senhor Ganimard – respondeu Beautrelet –, dá para pensar que chegou sua hora final.

Ambos se sentaram e Ganimard tomou alguns goles de rum.

– Não é medo – disse ele –, mas, droga, que emoção! Cada vez que estou prestes a colocar as mãos nele, isso mexe com as minhas entranhas. Quer um pouco de rum?

– Não.

– E se você ficar no caminho?

– É porque estarei morto.

– Caramba! Enfim, veremos. E agora, abra. Nenhum perigo de ser visto, hein?

– Não. A Agulha é mais baixa que a falésia, além disso estamos numa dobra do terreno.

Beautrelet se aproximou do muro e se apoiou no tijolo. O deslocamento se deu e a entrada do subterrâneo surgiu. À luz das lanternas que acenderam, eles viram que era perfurada em forma de abóbada, e que esta, bem como o solo, era inteiramente coberta de tijolos.

Caminharam por alguns segundos, e imediatamente uma escada se apresentou. Beautrelet contou quarenta e cinco degraus, degraus de tijolo, mas que a lenta ação dos passos havia afundado no meio.

– Droga! – praguejou Ganimard, que ia na frente, e que de repente parou como se tivesse batido em alguma coisa.

– O que está havendo?

– Uma porta!

– Droga – murmurou Beautrelet, olhando para ela –, e não é fácil de demolir. Nada mais, nada menos que um bloco de ferro.

– Estamos perdidos – disse Ganimard –, não tem nem fechadura.

– Justamente, é isso que me dá esperança.

– E por quê?

– Uma porta é feita para abrir e, se não tiver fechadura, é porque há um segredo para abri-la.

– E como não conhecemos esse segredo...

– Vou descobri-lo.

– De que jeito?

– Por meio do documento. A quarta linha não tem outra razão a não ser resolver as dificuldades quando elas surgem. E a solução é relativamente fácil, já que está inscrita, não para confundir, mas para ajudar aqueles que procuram.

– Relativamente fácil! Não concordo com você – exclamou Ganimard, que havia desdobrado o documento... – O número 44 e um triângulo marcado com um ponto à esquerda. É bastante obscuro.

– Não é não! Examine a porta. Verá que é reforçada, nos quatro cantos, com placas de ferro em forma de triângulos e que essas placas são presas por grandes pregos. Veja a placa de baixo, à esquerda; faça girar o prego que está no ângulo... Existem nove chances para um de que consigamos acertar.

– Você caiu na décima – Ganimard disse depois de tentar.

– Então, é que o número 44...

Em voz baixa, sempre refletindo, Beautrelet continuou:

– Vejamos... Ganimard e eu, nós estamos aqui, nós dois, no último degrau da escada... são 45... Por que 45, sendo que o número do documento é 44? Coincidência? não... Em todo esse caso, nunca houve nenhuma coincidência, a não ser involuntária. Ganimard, tenha a gentileza de subir um degrau... É isso aí, não saia deste quadragésimo quarto degrau. E agora, eu farei girar o prego. E o trinco vai funcionar... Caso contrário vou perder minha pose...

A pesada porta de fato girou nas dobradiças. Uma caverna bastante espaçosa surgiu diante deles.

– Devemos estar exatamente embaixo do forte Fréfossé – disse Beautrelet. – Agora as camadas de terra foram ultrapassadas. Acabou o tijolo. Estamos em plena massa calcária.

A sala era confusamente iluminada por um jato de luz que vinha da outra extremidade. Ao se aproximarem, viram que era uma fenda na falésia, aberta em uma saliência da pedra, e que formava uma espécie de observatório. À frente deles, a cinquenta metros de distância, erguia-se das ondas o impressionante bloco da Agulha. À direita, muito próximo, ficava o arcobotante da Porta de Aval, e, à esquerda, muito longe, fechando a curva harmoniosa de uma vasta enseada, outro arco, ainda mais imponente, destacava-se contra a falésia: a Manneporte (magna porta), tão grande que um navio teria encontrado passagem ali, com os mastros erguidos e todas as velas içadas. Ao fundo, em todo lugar, o mar.

– Não vejo nossa flotilha – disse Beautrelet.

– Nem poderia – disse Ganimard, a porta de Aval esconde de nós toda a costa de Étretat e Yport. Mas veja, lá embaixo, ao largo, aquela linha preta, no nível da água…

– E então?

– Bem, essa é a nossa frota de guerra, torpedeiro n.º 25. Com isso, Lupin pode fugir… se quiser conhecer as paisagens submarinas.

Uma rampa marcava a abertura na escada, perto da fenda. Penetraram por ela. De vez em quando, uma pequena janela perfurava a parede da rocha e, a cada vez, eles viam a Agulha, cuja massa lhes parecia gradualmente mais colossal. Pouco antes de eles chegarem ao nível da água, as janelas pararam e fez-se a escuridão.

Isidore contava os degraus em voz alta. No degrau de número trezentos e cinquenta e oito, eles desembocaram num corredor mais

ARSÈNE LUPIN E A AGULHA OCA

amplo que estava bloqueado por uma porta de ferro, reforçada com placas e pregos.

– Conhecemos isso – disse Beautrelet. – O documento nos dá o número 357 e um triângulo apontado para a direita. Só precisamos recomeçar a operação..

A segunda porta obedeceu como a primeira. Um túnel longo, muito longo, se apresentou, iluminado a intervalos regulares pelo brilho intenso de lanternas suspensas na abóbada. Os muros suavam água e gotas caíam no chão, de modo que, de uma ponta à outra, uma verdadeira calçada de tábuas fora disposta para facilitar a marcha.

– Estamos passando por baixo do mar – disse Beautrelet. – O senhor vem, Ganimard?

O inspetor se aventurou no túnel, seguiu a passarela de madeira e parou em frente a uma lanterna que tirou do gancho:

– Os utensílios talvez sejam da Idade Média, mas a iluminação é moderna. Esses cavalheiros usam mangas de incandescência.

Ele continuou seu caminho. O túnel terminava em outra gruta de proporções mais espaçosas, na qual se avistavam, em frente, os primeiros degraus de uma escada que subia.

– Agora, começa a subida da Agulha – disse Ganimard –, isso está ficando mais sério.

Mas um de seus homens o chamou.

– Chefe, há outra escada ali, à esquerda.

E, imediatamente depois, eles descobriram uma terceira, à direita.

– Droga – murmurou o inspetor –, a situação está ficando mais complicada. Se passarmos por aqui, eles vão fugir por lá.

– Vamos nos separar – propôs Beautrelet.

– Não, não... isso iria nos enfraquecer... É melhor se um de nós for como batedor.

– Eu posso ir, se o senhor quiser.

MAURICE LEBLANC

– Pode ser, Beautrelet. Vou ficar com meus homens... assim, não teremos nada a temer. Pode haver outros caminhos além daquele que seguimos na falésia, e vários caminhos também através da Agulha. Mas, com certeza, entre a falésia e a Agulha, não há outra comunicação senão o túnel. Portanto, temos de passar por essa gruta. Assim, vou me instalar lá até o seu retorno. Vá, Beautrelet, e tome cuidado... Ao menor alerta, volte...

Isidore desapareceu rapidamente na escada do meio. No trigésimo degrau, uma porta, uma verdadeira porta de madeira o deteve. Ele girou a maçaneta. Não estava fechada.

Entrou em uma sala que lhe pareceu muito baixa, tão imensa era ela. Iluminada por lâmpadas fortes, sustentada por pilares achatados, entre os quais se abriam profundas perspectivas, ela devia ter quase as mesmas dimensões da Agulha. Estava atulhada de caixas e de uma infinidade de objetos, móveis, assentos, baús, aparadores, estojos, toda uma confusão de coisas como se vê no porão de antiquários. À sua direita e à sua esquerda, Beautrelet viu a abertura de duas escadas, sem dúvida as mesmas que partiam da gruta inferior. Então ele poderia ter descido de volta e avisado Ganimard. Mas, à sua frente, uma nova escada subia, e ele teve a curiosidade de prosseguir sozinho em suas investigações.

Mais trinta degraus. Uma porta, depois uma sala um pouco menor, pareceu a Beautrelet. E sempre, em frente, uma escada que subia.

Mais trinta degraus. Uma porta! Uma sala menor...

Beautrelet entendeu o plano das obras realizadas no interior da Agulha. Era uma série de salas sobrepostas umas às outras e, consequentemente, cada vez mais exíguas. Todas eram usadas como depósitos.

Na quarta, não havia mais lâmpada. Um pouco de luz do dia filtrava-se pelas fendas e Beautrelet avistou o mar cerca de dez metros abaixo dele.

Naquele momento, sentiu-se tão distante de Ganimard que uma certa angústia começou a invadi-lo, e ele teve de controlar os nervos para não fugir a toda velocidade. Nenhum perigo o ameaçava, entretanto, e mesmo ao seu redor o silêncio era tal que ele se perguntou se a Agulha inteira não tinha sido abandonada por Lupin e por seus cúmplices.

"No próximo andar", disse a si mesmo, "eu vou parar."

Trinta degraus, sempre, depois uma porta, esta mais leve, mais moderna na aparência. Ele a empurrou suavemente, pronto para fugir. Ninguém. Mas a sala era diferente das outras quanto ao uso. Nas paredes, tapeçarias, no chão, tapetes. Dois magníficos aparadores estavam frente a frente, carregados de ourivesaria. As pequenas janelas, cortadas nas fendas estreitas e profundas, eram guarnecidas de vidraças.

No meio da sala, uma mesa ricamente servida com uma toalha de renda, compoteiras de frutas e bolos, champanhe em garrafas, e flores, montes de flores.

Em torno da mesa, três lugares postos.

Beautrelet aproximou-se. Sobre os guardanapos, havia cartões com os nomes dos convivas.

Leu o primeiro: "Arsène Lupin".

À frente deste: "Senhora Arsène Lupin".

Pegou o terceiro cartão e estremeceu de espanto. Este tinha seu nome: "Isidore Beautrelet".

O TESOURO DOS REIS DA FRANÇA

Uma cortina se abriu.

– Olá, meu caro Beautrelet, está um pouco atrasado. O almoço estava marcado para o meio-dia. Mas, enfim, alguns minutos a mais… Então o que há? Não me reconhece? Estou tão mudado?

No decorrer de sua luta contra Lupin, Beautrelet se deparara com muitas surpresas, e ainda esperava, na hora do desfecho, passar por muitas outras emoções, mas dessa vez o choque foi imprevisto. Não era espanto, mas estupor, pânico.

O homem que tinha à sua frente, o homem que toda a força brutal dos acontecimentos o obrigava a considerar como Arsène Lupin, esse homem era Valméras. Valméras, o proprietário do castelo da Agulha. Valméras, o mesmo a quem ele tinha pedido ajuda contra Arsène Lupin. Valméras, seu companheiro de expedição em Crozant. Valméras, o amigo corajoso que tornara possível a fuga de Raymonde ao golpear ou fingir golpear, na sombra do vestíbulo, um cúmplice de Lupin!

Arsène Lupin e a Agulha Oca

– Você... você... Então era você! – ele gaguejou.

– E por que não? – exclamou Lupin. – Você achava que me conhecia definitivamente porque me tinha visto sob os traços de um sacerdote ou sob a aparência do senhor Massiban? Ai de mim! Quando alguém escolheu a situação social que ocupo, tem de fazer bom uso de seus pequenos talentos sociais. Se Lupin não podia ser, a seu bel-prazer, pastor da Igreja Reformada e membro da Academia de Inscrições e Belas-Letras, seria desesperador ser Lupin. Ora, Lupin, o verdadeiro Lupin, Beautrelet, aqui está ele! Olhe com todos os seus olhos, Beautrelet...

– Mas então... se é você... então... a senhorita...

– Sim, Beautrelet, você disse...

Ele afastou a cortina novamente, fez um sinal e anunciou:

– A senhora Arsène Lupin.

– Ah! – murmurou o jovem apesar de tudo confuso... – A senhorita de Saint-Véran.

– Não, não – protestou Lupin –, a senhora Arsène Lupin ou, se preferir, a senhora Louis Valméras, minha esposa oficialmente casada, de acordo com os mais rigorosos trâmites legais. E graças a você, meu caro Beautrelet.

Ele lhe estendeu a mão.

– Meus melhores agradecimentos... e, espero, sem rancores da sua parte.

Estranhamente, Beautrelet não experimentava nenhum rancor. Nenhum sentimento de humilhação. Nenhuma amargura. Sentia tão fortemente a enorme superioridade de seu adversário que não enrubescia por ter sido derrotado por ele. Apertou a mão que lhe era oferecida.

– O almoço está servido.

Um criado tinha colocado uma bandeja cheia de comida na mesa.

– Você vai nos desculpar, Beautrelet, meu cozinheiro está de folga e vamos ter que comer a comida fria.

MAURICE LEBLANC

Beautrelet não tinha nenhuma vontade de comer. Ele se sentou, no entanto, prodigiosamente interessado na atitude de Lupin. O que exatamente ele sabia? Dava-se conta do perigo que realmente estava correndo? Ignorava a presença de Ganimard e de seus homens?... E Lupin continuava:

– Sim, graças a você, meu caro amigo. Certamente, Raymonde e eu nos apaixonamos no primeiro dia. Perfeitamente, meu pequeno... O sequestro de Raymonde, seu cativeiro, as histórias inventadas: nós nos amávamos... Mas nem ela nem eu, aliás, quando ficamos livres para nos amarmos, pudemos admitir que se estabelecesse entre nós um daqueles laços passageiros que estão à mercê do acaso. A situação era, portanto, insolúvel para Lupin. Mas não era se eu voltasse a ser o Louis Valméras que não deixei de ser desde a minha infância. Foi então que tive a ideia, já que você não desistia e havia encontrado o castelo da Agulha, de me aproveitar de sua obstinação.

– E de minha ingenuidade.

– Ora, quem não teria sido enganado?

– De sorte que foi com minha cobertura, com meu apoio, que você conseguiu ter sucesso?

– É claro! Como alguém poderia suspeitar que Valméras era Lupin, já que Valméras era amigo de Beautrelet e acabara de arrebatar de Lupin aquela que Lupin amava? E foi adorável. Oh! As lindas lembranças! A expedição para Crozant! Os buquês de flores encontrados: minha dita carta de amor para Raymonde! E, mais tarde, as precauções que eu, Valméras, tive de tomar contra mim mesmo, Lupin, antes do meu casamento! E, na noite do seu famoso banquete, quando você desmaiou em meus braços! As lindas lembranças!...

Houve um silêncio. Beautrelet observou Raymonde. Ela ouvia Lupin sem dizer uma palavra, e o mirava com um olhar em que havia amor, paixão e algo mais, que o jovem não teria sido capaz de definir, uma espécie de perturbação inquieta e uma tristeza confusa. Mas Lupin voltou os olhos para ela e ela lhe sorriu ternamente. Por sobre a mesa, suas mãos se juntaram.

– O que você acha de minha pequena instalação, Beautrelet? – exclamou Lupin. – Tem estilo, não é? Não pretendo que seja a última palavra em conforto... No entanto, alguns ficaram satisfeitos com ela, e não foram pessoas de pouca importância... Veja a lista de alguns personagens que foram donos da Agulha e que tiveram a honra de deixar nela a marca de sua passagem.

Nas paredes, uma abaixo da outra, estas palavras estavam gravadas:

César. Carlos Magno. Roll. Guilherme, o Conquistador. Ricardo, rei da Inglaterra. Luís XI. Francisco. Henrique IV. Luís XIV. Arsène Lupin.

– Quem vai se registrar agora? – ele retomou. – Que pena! A lista está fechada. De César a Lupin, e pronto. Em breve, será a multidão anônima que virá visitar a estranha cidadela. E pensar que, sem Lupin, tudo isso permanecia para sempre desconhecido dos homens. Ah, Beautrelet, no dia cm que pus os pés neste solo abandonado, que sensação de orgulho! Encontrar o segredo perdido, tornar-se seu mestre, o único mestre! Herdeiro de tal herança! Depois de tantos reis, habitar a Agulha!...

Um gesto da esposa o interrompeu. Ela parecia muito agitada.

– Um barulho – ela disse... – Um barulho abaixo de nós... Está ouvindo...

– É o marulho – disse Lupin.

– Não... não... O som das ondas, eu o conheço... é outra coisa...

– O que você quer que seja, minha cara amiga – disse Lupin, rindo. – Só convidei Beautrelet para almoçar.

E, dirigindo-se ao criado:

– Charolais, você fechou as portas das escadas após a passagem do senhor Beautrelet?

– Sim, e coloquei os ferrolhos.

Lupin se levantou:

– Venha, Raymonde, não trema assim... Ah, mas você está muito pálida!

Ele falou algumas palavras em voz baixa para ela e para o criado, levantou a cortina e fez com que os dois saíssem.

Embaixo, o barulho ficava mais claro. Eram pancadas abafadas que se repetiam em intervalos iguais. Beautrelet pensou:

"Ganimard perdeu a paciência e está arrombando as portas".

Muito calmo, e como se realmente não tivesse ouvido absolutamente nada, Lupin continuou:

– Por exemplo, a Agulha estava muito danificada quando consegui descobri-la! Era óbvio que ninguém tinha possuído o segredo havia um século, desde Luís XVI e da Revolução. O túnel ameaçava desabar. As escadas estavam se desfazendo. A água estava fluindo para dentro. Tive de escorar, consolidar, reconstruir.

Beautrelet não pôde deixar de dizer:

– Quando chegou, ela estava vazia?

– Quase. Os reis não devem ter usado a Agulha, como eu fiz, como depósito...

– Como refúgio, então?

– Sim, sem dúvida, na época das invasões, na época das guerras civis, também. Mas seu verdadeiro destino era ser... como devo dizer? O cofre-forte dos reis da França.

Os golpes redobravam, menos surdos agora. Ganimard devia ter quebrado a primeira porta, e estava atacando a segunda.

Um silêncio, depois outros golpes ainda mais próximos. Era a terceira porta. Restavam duas.

Por uma das janelas, Beautrelet viu os barcos singrando em torno da Agulha e, não longe dali, flutuando como um grande peixe preto, o torpedeiro.

– Que barulho! – exclamou Lupin –, não conseguimos nos ouvir! Vamos subir, sim? Talvez você vá se interessar em visitar a Agulha.

Eles foram para o andar acima, defendido, como os outros, por uma porta, que Lupin fechou atrás de si.

– Minha galeria de pinturas – disse ele.

As paredes eram cobertas por telas, onde Beautrelet leu imediatamente as assinaturas mais famosas. Havia o *Virgin e Agnus Dei*, de Rafael, o *Retrato de Lucrezia Fede*, de Andrea del Sarto; a *Salomé*, de Ticiano; a *Virgem e os Anjos*, de Botticelli; e telas de Tintoreto, Carpaccio, Rembrandt, Vélasquez.

– Lindas cópias! – aprovou Beautrelet...

Lupin olhou-o com espanto:

– Quê? Cópias!? Você está louco! As cópias estão em Madri, meu caro, em Florença, em Veneza, em Munique, em Amsterdã.

– Então estas?...

– Estas são as telas originais, recolhidas com paciência em todos os museus da Europa, onde honestamente as substituí por excelentes cópias.

– Mas... qualquer dia desses...

– Qualquer dia desses a fraude será descoberta? Pois bem, você encontrará minha assinatura em cada uma das telas – por trás – e saberá que fui eu quem dotou meu país de obras-primas originais. Afinal, só fiz o que Napoleão fez na Itália... Ah! Aqui, Beautrelet, aqui estão os quatro Rubens do senhor de Gesvrès...

As pancadas não paravam no oco da Agulha.

– Não dá para aguentar isso! – disse Lupin. – Vamos subir de novo. Mais uma escada. Mais uma porta.

– A sala das tapeçarias – Lupin anunciou.

Não estavam suspensas, mas enroladas, amarradas, etiquetadas e misturadas, aliás, com pacotes de tecidos antigos, que Lupin desdobrou: brocados maravilhosos, veludos admiráveis, sedas suaves em tons desbotados, casulas, tecidos de ouro e de prata...

Subiram de novo e Beautrelet viu a sala dos relógios e pêndulos, a sala dos livros (que magníficas encadernações e preciosos volumes que não podiam ser encontrados, exemplares únicos roubados de grandes bibliotecas!), a sala das rendas, a sala dos bibelôs.

E, a cada vez o círculo da sala diminuía. E, a cada vez, agora, o som das pancadas se distanciava. Ganimard estava perdendo terreno.

– A última – disse Lupin –, a sala do tesouro.

Esta era bem diferente. Redonda, também, mas muito alta, de formato cônico, ocupava o topo do edifício, e sua base devia estar a quinze ou vinte metros da ponta extrema da Agulha.

Do lado da falésia, nenhuma claraboia. Mas, em direção ao mar, como não se precisava temer nenhum olhar indiscreto, abriam-se dois recortes envidraçados, pelos quais entrava luz em abundância. O chão era coberto por um piso de madeira rara, com desenhos concêntricos. Contra as paredes, vitrines, algumas pinturas.

– As pérolas de minhas coleções – disse Lupin. – Tudo o que você viu até agora está à venda. Objetos se vão, outros chegam. Isso faz parte do trabalho. Aqui, neste santuário, tudo é sagrado. Nada que não seja de escol, o essencial, o melhor do melhor, o inestimável. Veja essas joias, Beautrelet, amuletos caldeus, colares egípcios, braceletes celtas, correntes árabes... Veja essas estatuetas, Beautrelet, essa Vênus grega, esse Apolo de Corinto... Veja só essas tânagras, Beautrelet! Todas as verdadeiras tânagras estão aqui. Fora desta vitrine, não há uma única no mundo que seja autêntica. Que prazer dizer isso a si mesmo! Beautrelet, você se lembra dos saqueadores de igrejas no Sul, o bando de Thomas e companhia, agentes meus, diga-se de passagem. Pois bem, aqui está o relicário de Ambazac, o verdadeiro, Beautrelet! Você se lembra do escândalo do Louvre, a tiara reconhecida como falsa, imaginada, feita por um artista moderno... Aqui está a tiara de Saitaferne, a verdadeira, Beautrelet! Olhe, olhe bem, Beautrelet! Aqui está a maravilha das maravilhas, a obra suprema, o pensamento de um deus, aqui está a *Monalisa* de Da Vinci, a verdadeira. De joelhos, Beautrelet, a mulher inteira está na sua frente!

Houve um longo e compreensível silêncio entre eles. Embaixo, as pancadas estavam se aproximando. Duas ou três portas, não mais, os separavam de Ganimard.

No mar, era possível ver a parte traseira preta do torpedeiro e os barcos que passavam. O jovem perguntou:

– E o tesouro?

– Ah! meu pequeno, isso é o que mais te interessa! Todas essas obras-primas da arte humana, não é? Não valem, para sua curiosidade, a contemplação do tesouro... E toda a multidão será como você! Vamos, se satisfaça!

Bateu o pé com violência, fazendo se movimentar dessa maneira um dos discos que compunham o assoalho, e, erguendo-o como a tampa de uma caixa, expôs uma espécie de tina, toda redonda, escavada na rocha. Estava vazia. Um pouco mais adiante, ele executou a mesma manobra. Outra tina apareceu. Também vazia. Mais três vezes ele recomeçou. As outras três tinas estavam vazias.

– Hein! Que decepção – zombou Lupin. – Sob Luís XI, sob Henrique IV, sob Richelieu, as cinco cubas deviam estar cheias. Mas pense em Luís XIV, na loucura de Versalhes, nas guerras, nos grandes desastres do reino! E pense em Luís XV, o rei pródigo, na Pompadour, na Du Barry! O que devem ter tirado daqui! Com que unhas em forma de gancho devem ter arranhado a pedra! Você vê, mais nada...

Ele parou:

– Sim, Beautrelet, tem mais uma coisa, o sexto esconderijo! Ele permaneceu intangível. Nenhum deles ousou jamais tocá-lo. Era o recurso supremo... vamos dizer, o último tostão. Olhe, Beautrelet.

Ele se abaixou e levantou a tampa. Um pequeno cofre de ferro enchia a tina. Lupin tirou do bolso uma chave de formato e ranhuras complicadas e o abriu.

Foi um deslumbramento. Todas as pedras preciosas brilhavam, todas as cores resplandeciam, o azul das safiras, o fogo dos rubis, o verde das esmeraldas, o sol dos topázios.

– Olhe, olhe, pequeno Beautrelet. Eles devoraram todas as moedas de ouro, todas as moedas de prata, todas os escudos, e todos os ducados, e todos os dobrões, mas o cofre das pedras preciosas está intacto! Olhe os engastes. Existem exemplos de todas as épocas, de todos os séculos, de todos os países. Os dotes das rainhas estão aí. Cada uma trouxe sua parte, Margarida da Escócia e Carlota da Saboia, Maria da Inglaterra e Catarina de Médici e todas as arquiduquesas da Áustria, Eleonora, Isabel, Maria Teresa, Maria Antonieta... Olhe essas pérolas, Beautrelet! E esses diamantes, a enormidade desses diamantes! Não há nenhum deles que não seja digno de uma imperatriz! O regente da França não é mais bonito!

Ele se levantou e estendeu a mão em sinal de juramento:

– Beautrelet, você vai contar ao universo que Lupin não pegou uma única das pedras que estavam no cofre real, nenhuma, juro pela minha honra! Eu não tinha o direito de fazer isso. Era a fortuna da França...

Embaixo, Ganimard se apressava. Pelas repercussões das batidas, era fácil julgar que estavam atacando a penúltima porta, aquela que dava acesso à sala dos bibelôs.

– Vamos deixar o cofre aberto – disse Lupin –, todas as tinas também, todos esses sepulcros vazios...

Ele caminhou ao redor da sala, examinou algumas vitrines, contemplou algumas pinturas e, andando, com ar pensativo:

– Como é triste deixar tudo isso! Que sofrimento! Minhas melhores horas, eu as passei aqui, sozinho diante desses objetos que adorava... E meus olhos não os verão mais e minhas mãos não os tocarão mais.

Havia uma expressão tão cansada em seu rosto contraído que Beautrelet experimentou uma piedade confusa. A dor naquele homem devia assumir proporções maiores que em outro, assim como a alegria, assim como o orgulho ou a humilhação.

Perto da janela, agora, com o dedo estendido em direção ao horizonte, ele dizia:

– O que é mais triste ainda é aquilo, tudo aquilo a que devo renunciar. É bonito? O mar imenso... o céu... À direita e à esquerda, as falésias de Étretat, com suas três portas, a porta de Amont, a porta de Aval, a Manneporte... Tantos arcos de triunfo para o mestre... E o mestre era eu! Rei da aventura! Rei da Agulha Oca! Reino estranho e sobrenatural! De César a Lupin... Que destino!

Ele começou a rir.

– Rei de fantasia? E por que isso? Digamos logo rei de Yvetot! Que bobagem! Rei do mundo, sim, essa é a verdade! Dessa ponta da Agulha, eu dominava o universo, eu o segurava em minhas garras como uma presa! Levante a tiara de Saitapharnes, Beautrelet... Você vê esse duplo aparelho telefônico... À direita, é a comunicação com Paris, linha especial. À esquerda, com Londres, linha especial. Por meio de Londres, tenho a América, tenho a Ásia, tenho a Austrália! Em todos esses países, tenho escritórios, agentes de vendas, receptadores. É o tráfico internacional. É o grande mercado de arte e de antiguidades, a feira mundial. Ah! Beautrelet, há momentos em que meu poder vira minha cabeça. Estou bêbado de força e autoridade...

A porta embaixo cedeu. Ganimard e seus homens foram ouvidos correndo e procurando... Depois de um momento, Lupin continuou, em voz baixa:

– E agora acabou... Uma garotinha passou, com cabelos loiros, lindos olhos tristes, e uma alma honesta, sim, honesta, e acabou... Eu mesmo demoli o formidável edifício... tudo o mais me parece absurdo e infantil... só o cabelo dela conta... seus olhos tristes... e sua pequena alma honesta.

Os homens subiam as escadas. Uma pancada abalou a porta, a última... Lupin agarrou bruscamente o braço do jovem.

– Você entende, Beautrelet, por que lhe deixei o campo livre, quando tantas vezes, há semanas, poderia tê-lo esmagado? Você entende que você conseguiu chegar aqui? Você entende que dei a cada um dos meus homens sua parte do saque e que você os encontrou na outra noite na falésia? Você entende isso, não é? A Agulha Oca é a Aventura. Enquanto ela for minha, continuo sendo o Aventureiro. Com a Agulha sendo tomada, todo o passado se desprende de mim, é o futuro que começa, um futuro de paz e felicidade em que não vou mais enrubescer quando os olhos de Raymonde me olharem, um futuro...

Ele se virou furioso para a porta:

– Mas cale a boca, Ganimard, ainda não terminei meu discurso!

As pancadas se tornavam mais rápidas. Podia-se dizer que era o choque de uma viga projetada contra a porta. Em pé em frente a Lupin, Beautrelet, dominado pela curiosidade, aguardava os acontecimentos, sem entender o comportamento de Lupin. Que ele tivesse entregado a Agulha, sim, mas por que estava se entregando? Qual era seu plano? Ele esperava escapar de Ganimard? E por outro lado, onde estava Raymonde?

Lupin, no entanto, murmurava pensativamente:

– Honesto... Arsène Lupin honesto... Chega de roubar... Viver a vida como qualquer um... E por que não? Não há razão para eu não ter o mesmo sucesso... Mas então me deixe em paz, Ganimard! Você não sabe, então, triplo idiota, que estou falando palavras históricas, e que Beautrelet as recolhe para nossos netos!

Ele começou a rir:

– Estou perdendo meu tempo. Ganimard nunca compreenderá a utilidade de minhas palavras históricas.

Ele pegou um pedaço de giz vermelho, aproximou um banco da parede e escreveu em letras grandes:

Arsène Lupin deixa todos os tesouros da Agulha Oca para a França, com a única condição de que esses tesouros sejam instalados no Museu do Louvre, em salas que levarão o nome de "Salas Arsène Lupin".

– Agora – disse ele, – minha consciência está em paz. A França e eu estamos quites.

Os agressores batiam com toda a força. Um dos painéis foi rasgado. A mão de alguém passou por ele procurando pela fechadura.

– Droga – disse Lupin –, Ganimard é capaz de alcançar seu objetivo, por uma única vez.

Ele pulou na fechadura e retirou a chave.

– Caia fora, meu velho, essa porta é sólida... Eu tenho muito tempo... Beautrelet, eu me despeço de você... E obrigado!... Porque você realmente poderia ter complicado o ataque para mim... Mas você é gentil!

Ele havia se movido em direção a um grande tríptico de Van den Weiden, que representava os Reis Magos. Fechou a veneziana certa e revelou uma pequena porta, da qual agarrou a maçaneta.

– Boa caça, Ganimard, e lembranças aos seus!

Um tiro ecoou. Ele saltou para trás.

– Ah, canalha, bem no coração! Então você teve aulas? Maldito rei mago! No coração ! Despedaçado como um cachimbo no parque de diversões...

– Renda-se, Lupin! – gritou Ganimard, cujo revólver surgia do painel quebrado e cujos olhos brilhantes podiam ser vistos... Renda-se, Lupin!

– E a guarda, ela se rende?

– Se você se mover, eu o queimo...

– Vamos lá, você não pode me tirar daqui!

Na verdade, Lupin havia se afastado, e se Ganimard, através da brecha aberta na porta, podia atirar bem na sua frente, em contrapartida ele não podia atirar nem mirar especialmente no lado onde Lupin estava... A situação deste não era menos terrível, já que a saída com a qual contava, a portinha do tríptico, se abria diante de Ganimard. Tentar escapar era se expor ao fogo do policial... e havia cinco balas no revólver.

– Droga – disse ele rindo –, minhas ações estão em baixa. Muito bem, meu velho Lupin, você queria ter uma última sensação e esticou demais a corda. Não deveria falar tanto.

Ele se achatou contra a parede. Sob os esforços dos homens, mais uma parte do painel tinha cedido e Ganimard estava mais à vontade. Três metros, não mais, separavam os dois adversários. Mas uma vitrine de madeira dourada protegia Lupin.

– Ajude-me, então, Beautrelet – gritou o velho policial, que urrava de raiva... – Atire nele, em vez de ficar olhando desse jeito!

De fato, Isidore não havia se mexido, um espectador apaixonado, mas indeciso até então. Com todas as suas forças, ele teria gostado de se juntar à luta e abater a presa que tinha à sua mercê. Um sentimento obscuro o impedia de fazer isso.

O apelo de Ganimard o sacudiu. Sua mão apertou a coronha do revólver.

"Se eu tomar partido", pensou, "Lupin está perdido... e eu tenho o direito... é meu dever..."

Seus olhos se encontraram. Os de Lupin estavam calmos, atentos, quase curiosos, como se, no perigo terrível que o ameaçava, ele estivesse apenas interessado no problema moral que se apoderava do jovem. Isidore se decidiria a desferir o golpe final no inimigo vencido?... A porta cedeu de cima a baixo.

– Ajude-me, Beautrelet, nós o pegamos – gritou Ganimard.

Isidore ergueu seu revólver.

O que aconteceu foi tão rápido que ele só percebeu depois, por assim dizer. Ele viu Lupin se abaixar, correr ao longo da parede, passar rente à porta, abaixo da própria arma que Ganimard brandia em vão, e de repente ele, Beautrelet, se sentiu jogado ao chão, imediatamente agarrado e levantado por uma força invencível.

Lupin o segurou no ar, como um escudo vivo, atrás do qual se escondia.

– Dez contra um que consigo escapar, Ganimard! Com Lupin, você vê, sempre há um recurso...

Ele recuou rapidamente em direção ao tríptico. Segurando Beautrelet contra o peito com uma das mãos, com a outra abriu passagem e fechou a pequena porta. Ele estava salvo... Imediatamente, uma escada se abriu para eles, e ela descia abruptamente.

– Vamos – disse Lupin, empurrando Beautrelet na frente dele. – O exército está derrotado... Vamos cuidar da frota marítima francesa. Depois de Waterloo, Trafalgar... Você vai fazer o seu dinheiro valer a pena, hein, garoto!... Ah, que engraçado, ali estão eles atingindo o tríptico agora... Tarde demais, crianças... Mas fuja, Beautrelet...

A escada, esculpida na parede da Agulha em sua própria casca, envolvia toda a pirâmide, circundando-a como a espiral de um tobogã.

Um pressionando o outro, eles desceram os degraus dois a dois, três a três. Daqui e dali, um jato de luz esguichava por uma fenda, e

Beautrelet tinha a visão dos barcos de pesca que se moviam a algumas dezenas de braças e do torpedeiro preto...

Eles desciam, desciam, desciam... Isidore em silêncio, Lupin sempre exuberante.

– Eu gostaria de saber o que Ganimard está fazendo? Será que está descendo as outras escadas para barrar minha entrada no túnel? Não, ele não é tão estúpido... Ele terá deixado quatro homens lá... e quatro homens são suficientes.

Ele parou:

– Ouça... eles estão gritando lá em cima... é isso, eles devem ter aberto a janela e estão chamando sua frota... Olhe, as pessoas estão se mexendo nos barcos... trocam sinais... o torpedeiro está se movendo... Bravo torpedeiro! Eu o reconheço, você vem de Le Havre... Canhoneiros, em seus postos... Droga, ali está o comandante... Olá, Duguay-Trouin.

Ele passou o braço por uma janela e acenou com o lenço. Então começou a andar novamente.

– A frota inimiga rema vigorosamente – disse ele. – A abordagem é iminente. Meu Deus, como estou me divertindo!

Ouviram o som de vozes abaixo deles. A essa altura, eles estavam se aproximando do nível do mar e quase imediatamente desembocaram em uma grande gruta em que duas lanternas iam e vinham em meio à escuridão. Uma sombra apareceu e uma mulher se jogou no pescoço de Lupin!

– Rápido! Rápido! Eu estava preocupada!... O que estava fazendo?... Mas você não está sozinho?...

Lupin a tranquilizou.

– É o nosso amigo Beautrelet... Imagine que nosso amigo Beautrelet teve a delicadeza... mas vou contar-lhe... não temos tempo... Charolais, você está aí?... Ah, bom! O barco?...

Charolais respondeu: "O barco está pronto".

– Ligue – Lupin disse.

Um instante depois, o barulho de um motor se fez ouvir, e Beautrelet, cujo olhar se acostumava aos poucos com a penumbra, acabou percebendo que estavam numa espécie de cais, à beira da água, e que à sua frente flutuava um barco.

– Um barco automóvel – Lupin disse, completando as observações de Beautrelet. – Ora, tudo isso o surpreende, meu velho Isidore... Você não entende?... Como a água que vocês veem não é outra senão a água do mar que se infiltra a cada maré nesta escavação, o resultado é que tenho ali um pequeno ancoradouro invisível e seguro...

– Mas fechado – objetou Beautrelet. – Ninguém pode entrar e ninguém pode sair.

– Pode sim – disse Lupin –, e vou lhe provar isso.

Ele começou por conduzir Raymonde e depois voltou para buscar Beautrelet. Este hesitou.

– Está com medo – disse Lupin.

– De quê?

– De ser totalmente afundado pelo torpedeiro?

– Não.

– Então você se pergunta se seu dever não é ficar do lado de Ganimard, da justiça, da sociedade, da moralidade, em vez de ir para o lado de Lupin, da vergonha, da infâmia, da desonra?

– Exatamente.

– Infelizmente, meu pequeno, você não tem escolha... Por enquanto, é preciso que acreditem que nós dois estamos mortos... e que me deem a paz que se deve dar a um futuro homem honesto. Mais tarde, quando eu tiver devolvido sua liberdade, você poderá falar à vontade... Não terei mais nada a temer.

Pela maneira como Lupin apertou seu braço, Beautrelet sentiu que qualquer resistência era inútil. E, aliás, por que resistir? Não tinha ele o direito de se render à irresistível simpatia que, apesar de tudo, aquele homem lhe inspirava? Esse sentimento era tão claro nele que tinha vontade de dizer a Lupin:

"Escute, você corre outro perigo mais sério: Sholmes está no seu encalço..."

– Ande, venha – Lupin lhe disse antes que ele se decidisse a falar.

Ele obedeceu e deixou-se conduzir até o barco, cuja forma lhe parecia incomum e o aspecto completamente imprevisto.

Uma vez na ponte, eles desceram os degraus de uma pequena escada íngreme, mais exatamente uma escadinha, presa a um alçapão, que se fechou sobre eles.

Na parte inferior da escada, fortemente iluminada por uma lâmpada, havia um recanto de dimensões muito exíguas onde Raymonde já estava, e onde os três tinham exatamente o lugar para se sentar. Lupin pegou uma espécie de megafone e ordenou:

– Dê a partida, Charolais!

Isidore teve a desagradável impressão que se experimenta ao descer de elevador, a impressão do solo, do solo que cede debaixo dos pés. Desta vez, era a água que ia cedendo, e o vazio ia se abrindo, aos poucos...

– Ora, estamos afundando? – Lupin zombou. – Fique tranquilo... O tempo de ir da gruta superior onde estamos para uma pequena gruta localizada no fundo, meio aberta para o mar, e onde podemos entrar na maré baixa... Todos os catadores de conchas a conhecem... Ah, dez segundos de parada... passamos... e a passagem é estreita, apenas o tamanho do submarino...

– Mas – perguntou-se Beautrelet –, como é que os pescadores que entram na gruta por baixo não sabem que ela é furada no topo e se comunica com outra gruta de onde começa uma escada que atravessa a Agulha? A verdade está à disposição do primeiro que chegar.

– Errado, Beautrelet! A abóbada da pequena gruta pública é fechada, na maré baixa, por um teto móvel, da cor da rocha. Ao subir, o mar move esse teto e o eleva com ele; e, ao descer, o mar o recoloca hermeticamente sobre a pequena gruta. É por isso que, na maré alta, eu posso passar... Puxa, isso é engenhoso... Uma ideia minha... É verdade que nem César nem Luís XIV, enfim, que nenhum dos meus antepassados poderia tê-la tido, já que não dispunham do submarino... Eles se davam por satisfeitos com a escada que descia para a pequena gruta no fundo... Já eu tirei os últimos degraus e imaginei esse teto móvel. Um presente que estou dando para a França... Raymonde, minha querida, apague a lâmpada do seu lado... não precisamos mais dela... pelo contrário.

De fato, uma luz pálida, que parecia da própria cor da água, os havia saudado quando saíram da gruta e entrava na cabine pelas duas vigias das quais era munida e por uma grande calota de vidro que se projetava do chão da ponte e permitia inspecionar as camadas superiores do mar.

E imediatamente uma sombra caiu sobre eles.

– O ataque vai acontecer. A frota inimiga cerca a Agulha... Mas por mais oca que esta Agulha seja, eu me pergunto como eles vão entrar nela...

Ele pegou o megafone:

– Não vamos emergir ainda, Charolais... Para onde vamos? Mas eu lhe disse... Para Port-Lupin... e a toda velocidade, hein? É preciso que haja água para atracar... temos uma senhora conosco.

Eles roçavam a planície de rochas. As algas, levantadas, erguiam-se como uma vegetação negra e densa, e as correntes profundas as faziam ondular graciosamente, relaxar e se alongar como cabelos esvoaçantes. Mais uma sombra, mais longa...

– É o torpedeiro – disse Lupin –, o canhão vai se fazer ouvir... O que Duguay-Trouin fará? Irá bombardear a Agulha? O que estamos perdendo, Beautrelet, por não comparecer ao encontro de Duguay-Trouin e Ganimard! A reunião das forças terrestres e das forças navais!... Ei, Charolais! Estamos dormindo...

Na verdade, estavam fugindo rápido. Os campos de areia haviam sucedido aos rochedos, então eles viram quase imediatamente outros rochedos, que marcavam a ponta direita de Étretat, a porta de Amont. Os peixes fugiam quando eles se aproximavam. Um deles, mais ousado, grudou-se à vigia e olhava para eles com seus olhos grandes, imóveis e fixos.

– Agora sim, estamos avançando – gritou Lupin... – O que diz da minha casca de noz, Beautrelet? Nada mal, não é?... Você se lembra da aventura do Sept-de-cœur[12,] o miserável fim do engenheiro Lacombe, e como, após ter punido seus assassinos, ofereci ao Estado seus papéis e planos para a construção de um novo submarino... mais um presente para a França. Pois é! Entre esses planos, eu havia guardado os de um barco a motor submersível, e é assim que você tem a honra de navegar em minha companhia...

Ele chamou Charolais.

– Leve-nos para cima, não há mais perigo...

Eles saltaram para a superfície e a calota de vidro emergiu... Estavam a um quilômetro e meio da costa, portanto, fora de vista, e Beautrelet agora podia ter uma ideia melhor da velocidade vertiginosa com que avançavam.

Fécamp passou primeiro na frente deles, depois todas as praias normandas, Saint-Pierre, Les Petites-Dalles, Veulettes, Saint-Valéry, Veules, Quiberville.

Lupin brincava sempre, e Isidore nunca se cansava de olhar para ele e de ouvi-lo, maravilhado com a verve daquele homem, sua animação, seu jeito de criança, seu descuido irônico, sua alegria de viver.

Ele também observava Raymonde. A jovem permanecia em silêncio, apertada contra aquele que ela amava. Ela tomara suas mãos entre

---

[12] *Arsène Lupin, o ladrão de casaca.* (N.T.)

Arsène Lupin e a Agulha Oca

as dela e muitas vezes erguera os olhos para ele, e em várias ocasiões Beautrelet notou que suas mãos se crispavam um pouco e que a tristeza de seus olhos se acentuava. E, a cada vez, era como uma resposta muda e dolorosa aos gracejos de Lupin. Dir-se-ia que essa leveza de palavras, essa visão sarcástica da vida, lhe causavam sofrimento.

– Cale a boca – murmurava ela –, rir é desafiar o destino… Muitos infortúnios ainda podem nos sobrevir!

Em frente a Dieppe, tiveram de mergulhar para não serem avistados pelos barcos de pesca. E, vinte minutos depois, eles desviaram em direção à costa, e o barco entrou em um pequeno porto subaquático formado por um corte irregular entre as rochas, parou ao lado de um molhe e subiu suavemente à superfície.

– Port-Lupin – anunciou Lupin.

O local, situado a cinco léguas de Dieppe, a três léguas de Le Tréport, protegido à direita e à esquerda por dois desmoronamentos de falésia, era absolutamente deserto. Uma areia fina cobria as encostas da pequena praia.

– Para a terra, Beautrelet… Raymonde, dê-me sua mão… Você, Charolais, volte para a Agulha para ver o que está acontecendo entre Ganimard e Duguay-Trouin, e venha me dizer no final do dia. Esse caso me apaixona!

Beautrelet se perguntava com certa curiosidade como iriam sair daquela enseada aprisionada que se chamava Port-Lupin, quando notou uma escada de ferro logo no sopé da falésia.

– Isidore – disse Lupin –, se você conhecesse sua geografia e sua história, saberia que estamos no fundo do desfiladeiro de Parfonval, na comuna de Biville. Há mais de um século, na noite de 23 de agosto de 1803, Georges Cadoudal e seis cúmplices, desembarcados na França com a intenção de sequestrar o primeiro cônsul Bonaparte, subiram ao topo pelo caminho que vou lhes mostrar. Desde então, deslizamentos de terra demoliram esse caminho. Mas Valméras, mais conhecido pelo nome de Arsène Lupin, mandou restaurá-lo às suas próprias custas, e comprou a fazenda Neuvillette, onde os conspiradores passaram sua primeira noite, e onde, retirado dos negócios, desinteressado das coisas deste mundo, ele vai viver, com sua mãe e sua esposa, a respeitável vida de um fidalgo de província. O cavalheiro-ladrão está morto, viva o cavalheiro-fazendeiro!

Depois da escada, havia uma espécie de estrangulamento, uma ravina íngreme escavada pela água da chuva e no fundo da qual era possível se agarrar a um simulacro de escada guarnecido de um corrimão. Como Lupin explicou, esse corrimão havia sido colocado no lugar da *estamperche*, longa corda presa a estacas que os locais outrora usavam para descer até a praia... Meia hora de subida e eles desembocaram no planalto, não muito longe de uma dessas cabanas escavadas em pleno solo, e que servem de abrigo para os oficiais da alfândega do litoral. E precisamente, na curva do caminho, um funcionário da alfândega apareceu.

– Nada de novo, Gomel? – lhe disse Lupin.

– Nada, chefe.

– Ninguém suspeito?

– Não, chefe... porém...

– O quê?

– Minha esposa... que é costureira em La Neuvillette...

– Sim, sei... Césarine... Então?

– Parece que um marinheiro estava rondando esta manhã todo o vilarejo.

– Como era a cabeça desse marinheiro?

– Não natural... Uma cabeça de inglês.

– Ah! – disse Lupin preocupado... – E você deu ordens para Césarine...

– Para ficar de olho, sim, chefe.

– Ótimo. Fique atento à volta de Charolais, que deve acontecer daqui a duas, três horas... Se houver alguma coisa, estou na fazenda.

Ele retomou seu caminho e disse a Beautrelet:

– Isso é preocupante... Seria Sholmes? Ah, se for ele, exasperado como deve estar, pode-se temer tudo.

Ele hesitou por um momento:

– Eu me pergunto se não deveríamos voltar... Sim, estou com maus pressentimentos...

Planícies ligeiramente onduladas se estendiam a perder de vista. Um pouco à esquerda, belas alamedas com árvores levavam à fazenda Neuvillette, da qual já era possível ver as construções... Era o retiro que ele havia preparado, o asilo de descanso prometido a Raymonde. Acaso ele ia, por causa de ideias absurdas, renunciar à felicidade no mesmo instante em que alcançava a meta?

Segurou o braço de Isidore, mostrando-lhe Raymonde, que os precedia:

– Olhe para ela. Quando ela anda, sua cintura faz um leve balanço que não consigo ver sem tremer... Mas tudo nela me dá esse tremor de emoção e de amor, tanto seus gestos quanto sua quietude, tanto seu silêncio quanto o som de sua voz. Veja, o simples fato de andar sobre o rastro de seus passos me traz um verdadeiro bem-estar. Ah, Beautrelet, ela vai esquecer que um dia eu fui Lupin? Todo esse passado que ela odeia, vou conseguir apagá-lo de sua memória?

Ele se controlou e, com obstinada segurança:

– Ela vai esquecer! – ele afirmou. – Vai esquecer porque fiz todos os sacrifícios por ela. Sacrifiquei o refúgio inviolável da Agulha Oca, sacrifiquei meus tesouros, meu poder, meu orgulho... Vou sacrificar tudo... Não quero ser mais nada... nada mais que um homem que ama... um homem honesto, pois ela só pode amar um homem honesto... Afinal, o que me custa ser honesto? Não é mais desonroso que qualquer outra coisa...

A piada lhe escapou, por assim dizer, sem que ele percebesse. Sua voz permaneceu séria e sem ironia. E ele murmurou com violência contida:

– Ah, você vê, Beautrelet, de todas as alegrias desenfreadas que experimentei em minha vida aventureira, não há uma que valha a alegria que seu olhar me dá quando está feliz comigo... Eu me sinto muito fraco então... e tenho vontade de chorar...

Ele estava chorando? Beautrelet intuiu que lágrimas molhavam seus olhos. Lágrimas nos olhos de Lupin! Lágrimas de amor!

Eles estavam se aproximando de um velho portão que servia de entrada para a fazenda. Lupin parou por um segundo e gaguejou:

– Por que estou com medo?... É como uma opressão... Será que a aventura da Agulha Oca não acabou? Será que o destino não aceita o desfecho que escolhi?

Raymonde se virou, bastante preocupada.

– Lá está Césarine. Ela vem correndo...

De fato, a esposa do oficial da alfândega chegava da fazenda a toda pressa. Lupin precipitou-se ao seu encontro:

– O que há? O que está acontecendo? Fale!

Sufocada, sem fôlego, Césarine gaguejou:

– Um homem... Vi um homem na sala de estar.

– O inglês desta manhã?

– Sim... mas disfarçado de outra forma...

– Ele a viu?

– Não. Ele viu sua mãe. A senhora Valméras o surpreendeu quando ele estava indo embora.

– Então?

– Ele lhe disse que estava procurando por Louis Valméras, que ele era seu amigo.

ARSÈNE LUPIN E A AGULHA OCA

– Então?

– Então a senhora respondeu que seu filho estava viajando... por alguns anos...

– E ele foi embora?...

– Não. Ele acenou pela janela olhando para a planície... como se chamasse alguém.

Lupin parecia hesitar. Um grito alto rasgou o ar. Raymonde gemeu:

– É sua mãe... eu reconheço...

Lupin lançou-se sobre ela e a arrastou num impulso de paixão feroz:

– Venha... vamos fugir... você primeiro...

Mas parou imediatamente, perplexo, perturbado.

– Não, não posso... é abominável... Perdoe-me... Raymonde... a pobre mulher ali... Fique aqui... Beautrelet, não a deixe.

Ele disparou ao longo do barranco que circunda a fazenda, virou-se e seguiu-o, correndo, até a barreira que se abre para a planície... Raymonde, que Beautrelet não conseguira segurar, chegou quase ao mesmo tempo que ele, e Beautrelet, escondido atrás das árvores, viu, na alameda deserta que ia da fazenda até a barreira, três homens, um dos quais, o mais alto, caminhava na frente, enquanto dois outros seguravam pelos braços uma mulher que tentava resistir e emitia gemidos de dor.

A noite estava começando a cair. Ainda assim, Beautrelet reconheceu Herlock Sholmes. A mulher era idosa. Cabelos brancos emolduravam seu rosto lívido. Os quatro estavam se aproximando. Alcançavam a barreira. Sholmes abriu uma porta. Então, Lupin deu um passo à frente e se colocou diante dele.

O choque pareceu ainda mais terrível porque tudo estava silencioso, quase solene. Por muito tempo, os dois inimigos ficaram se encarando. Um ódio igual convulsionava seus rostos, eles não se moviam.

Lupin disse com uma calma aterrorizante:

– Ordene a seus homens que soltem essa mulher.

- Não!

Seria possível pensar que tanto um como o outro temiam se engajar na luta suprema e que ambos estavam reunindo todas as suas forças. E sem palavras desnecessárias dessa vez, sem provocações zombeteiras. O silêncio, um silêncio de morte.

Enlouquecida de angústia, Raymonde aguardava o resultado do duelo. Beautrelet tinha agarrado seu braço e a mantinha imóvel. Depois de um momento, Lupin repetiu:

- Ordene a seus homens que soltem essa mulher.

- Não!

Lupin disse:

- Ouça, Sholmes...

Mas parou, entendendo a estupidez das palavras. Diante daquele colosso de orgulho e vontade que se chamava Sholmes, que significavam as ameaças?

Decidido a tudo, de repente ele colocou a mão no bolso do casaco. O inglês previu o gesto e, saltando para a prisioneira, colou o cano do revólver a cinco centímetros de sua têmpora.

- Nem um movimento, Lupin, ou atiro.

Ao mesmo tempo, seus dois acólitos sacaram suas armas e as apontaram para Lupin... Este se enrijeceu, dominou a raiva que tomava conta dele e, friamente, com as duas mãos nos bolsos, o peito oferecido ao inimigo, recomeçou:

- Sholmes, pela terceira vez, deixe essa mulher em paz.

O inglês zombou:

- Não temos o direito de tocá-la, talvez! Vamos, vamos, chega de piadas! Você não se chama mais Valméras, assim como não se chama Lupin, é um nome que você roubou, tal como roubou o nome de Charmerace. E aquela que você faz passar por sua mãe é Victoire, sua velha cúmplice, aquela que o criou...

Sholmes cometeu um erro. Levado pelo desejo de vingança, ele olhou para Raymonde, a quem essas revelações horrorizavam. Lupin se aproveitou da imprudência. Com um movimento rápido, ele atirou.

– Desgraçado! – gritou Sholmes, cujo braço, transpassado, tombou ao longo do corpo.

E interpelando seus homens:

– Atirem! Atirem!

Mas Lupin havia saltado sobre eles e não demorou dois segundos antes que o da direita rolasse para o chão, com o peito demolido, enquanto o outro, com a mandíbula quebrada, batia contra a barreira.

– Mexa-se, Victoire... amarre-os... E agora nós dois, seu inglês...

Ele se abaixou praguejando:

– Ah, canalha...

Sholmes tinha pegado sua arma com a mão esquerda e apontava para ele.

Uma detonação... um grito de angústia... Raymonde tinha se jogado entre os dois homens, de frente para o inglês. Ela cambaleou, levou a mão à garganta, endireitou-se, girou e caiu aos pés de Lupin.

– Raymonde!... Raymonde!

Ele se jogou sobre ela e a apertou contra si.

– Morta – disse ele.

Houve um momento de espanto. Sholmes parecia confuso com seu ato. Victoire gaguejou:

– Meu filho... Meu filho...

Beautrelet se aproximou da jovem e se inclinou para examiná-la. Lupin ficava repetindo: "Morta... morta...", em tom pensativo, como se ainda não entendesse.

Mas seu rosto ficou vazio, de repente transformado, devastado pela dor. E então foi sacudido por uma espécie de loucura, fez gestos irracionais, torceu os punhos, sapateou como uma criança que sofre demais.

– Miserável! – ele gritou de repente, em um acesso de ódio.

E com um tremendo choque, derrubando Sholmes, agarrou-o pelo pescoço e enfiou os dedos crispados em sua carne. O inglês gemeu, sem nem mesmo lutar.

– Meu filho, meu filho – implorou Victoire...

Beautrelet acorreu. Mas Lupin já o havia soltado e, ao lado de seu inimigo caído no chão, ele soluçava.

Espetáculo lamentável! Beautrelet jamais esqueceria o horror trágico daquilo, ele que conhecia todo o amor de Lupin por Raymonde, e tudo que o grande aventureiro havia sacrificado para colocar um sorriso no rosto de sua amada.

A noite estava começando a cobrir o campo de batalha com uma mortalha de sombras. Os três ingleses, amarrados e amordaçados, estavam deitados na grama alta. Cantorias embalaram o vasto silêncio da planície. Eram as pessoas de La Neuvillette que estavam voltando do trabalho.

Lupin se levantou. Ouviu as vozes monótonas. Em seguida, olhou para a fazenda feliz onde esperara viver em paz ao lado de Raymonde. Então olhou-a, a pobre amante, que o amor matara, e que dormia, toda branca, o sono eterno.

Os camponeses estavam se aproximando, entretanto. Então, Lupin se abaixou, agarrou a mulher morta em seus braços fortes, ergueu-a com um só movimento e, dobrando-se, a colocou nas costas.

– Vamos, Victoire.

– Vamos, meu filho.

– Adeus, Beautrelet – disse ele.

E, carregado com o precioso e horrível fardo, seguido por sua velha criada, silencioso, feroz, ele partiu em direção ao mar, e mergulhou nas sombras profundas...